U0456844

关注成长

——未成年人思想道德建设前沿问题研究

苏宁 编

人民出版社

责任编辑　毕于慧
装帧设计　曹　春

图书在版编目（CIP)数据

关注成长/苏宁 编.
－北京：人民出版社，2005.1
ISBN 7-01-004770-7

Ⅰ.关...　Ⅱ.苏...　Ⅲ.青少年—思想政治教育—中国—学习参考资料
Ⅳ.D432.62

中国版本图书馆 CIP 数据核字（2005）第 002018 号

书　　　名　关注成长
　　　　　　——未成年人思想道德建设前沿问题研究
　　　　　　GUANZHU CHENGZHANG
　　　　　　苏宁 编
出版发行　人民出版社
　　　　　　（北京朝阳门内大街 166 号　邮编　100706）
邮购地址　100706 北京朝阳门内大街 166 号人民东方图书销售中心
邮购电话　(010)65250042　65289539
印　　刷　北京朝阳印刷厂有限责任公司印刷　新华书店经销
版　　次　2005 年 1 月第 1 版　2005 年 1 月北京第 1 次印刷
开　　本　787 毫米×1092 毫米 1/16　印张　15
字　　数　203 千字
印　　数　1—5,000 册
书　　号　ISBN 7-01-004770-7
定　　价　28.00 元

目 录

编者的话

　　党中央国务院《关于进一步加强和改进未成年人思想道德建设的若干意见》颁布以来，这项工作得到各方面的高度重视，被称为"关系党的事业后继有人的战略工程、关系国家前途和命运的希望工程、关系亿万家庭幸福的民心工程、精神文明建设的基础工程"，其重要程度已经不言而喻。"热爱祖国、积极向上、团结友爱、文明礼貌"是当代中国未成年人精神世界的主流，同时，面对国际国内形势的深刻变化，未成年人思想道德建设面临着一系列新课题，未成年人思想道德建设工作还存在许多不适应的地方和亟待加强的薄弱环节。

　　按照《若干意见》的要求，研究和发现未成年人思想道德建设的问题，努力寻求事务的规律和有效解决问题的方法，是加强和改进工作的必经之路。在编者看来，这也是特别宝贵的一种品质。

　　一个偶然的机会，编者看到了正在中央党校2004年中青年干部培训班上就读的几名团省委书记的论文，涉及到未成年人思想道德建设的一些问题，联想到平时接触的该领域若干文章，于是萌发了编写一本研究未成年人思想道德建设前沿问题书籍的想法，并得到

了北京团市委书记关成华、团中央办公厅主任李晓军等同志的大力支持。

本书以未成年人思想道德建设领域的新课题为选取角度，突出文章的理论研究特色，发挥指导实践作用。文章来源有三个部分：一是前面提到的中央党校培训班上部分学员的论文，二是专家定向约稿，三是近年来发表在《中国青年研究》、《青年研究》、《北京青年工作研究》、《北京市未成年人法学研究》等报刊上的相关文章。关于前沿问题，并没有一个统一标准，大家都可以有自己的见解，加之成书时间很短，有疏漏之处欢迎读者提出宝贵意见。

本书的出版得到了人民出版社的大力协助，得到了各位作者的热情支持，在此向他们及广大读者，一并表示衷心的感谢。

编者

2004 年 12 月

制度与政策问题研究

郁杰英

我国青少年事务与政策的理论与实践

一、对青少年事务与政策概念的理解

1. 关于青少年事务的概念

所谓"青少年事务",应涵盖青少年生存、教育、健康、就业、社会参与、婚恋、住房、娱乐等所有方面的需求、问题的研究与解决。当然,包括特殊青少年的特殊问题,如对超常青少年的培养,对残疾青少年的关照,对违法犯罪青少年的矫治,等等。在管理青少年事务这个问题上,我们应明确三点:

一是青少年是国家公民中"最富有朝气,最富有创造性,最富于生命力"的群体。他们在国家建设乃至未来发展中的地位、作用不容忽视。

二是青少年处于人的生命中的成长期,面临着许多成年人已经解决的问题。他们阅历浅,不成熟,具有极强的"成长性"和"可塑性"。因此,需要全社会的关心、保护、扶持与指导。

三是青少年不仅是"未来",更是"现在"。因此,要把青少年作为现实的力量充分发挥其作用,要把他们作为现实的群体,切实解决其需求,要把他们作为现实的个体，促进发展其个性。

2. 关于青少年政策的概念

政策比较好理解，是指国家（含地方）或政党为完成一定时期的任务而制定的行动准则。政策按主体来划分，有国家（地方）政策和政党政策两大类；按照调整范围来划分，又可以分为总政策、基本政策和具体政策，是一个多层次的结构；从政策的存在形式来讲，它可以是法律，也可以是一些政府或政党文件；政策对法律的制定起到指导作用，同时在缺少法律规范的领域，政策也起到补充规范的作用。但是，就政策所涉及的主体青少年而言，世界各国有不同的理解。有的国家采取广义的解释，0—25岁或30岁的人都包括在内，如德国、奥地利和芬兰；有的国家则规定从小学适龄儿童到25岁，如荷兰和卢森堡；有的国家规定从11岁或13岁到25岁，如法国、挪威和英国；还有一些国家规定的范围就更窄了，从初中毕业到25或30岁，如丹麦、意大利和葡萄牙等国。联合国《到2000年及其后世界青少年行动纲领》中，确定青少年政策的主体为15—24岁的年龄组。

我们这里探讨的青少年政策是怎样一个范围呢？国内就此问题也有很多讨论，各学科都有自己的见解。但从我们的理解看，我们主张青少年政策采取广义的理解，包括所有有关儿童、少年和青年的政策。一方面原因，从群体特征看，儿童、少年或青年是相似的，他们都处于弱势地位，需要社会给予特殊的关照和保护，同时，他们也都处于社会化的过程中，需要国家、学校、社会、家庭的引导，使他们了解并掌握社会规则，健康成长。因此，对他们所采取的政策主旨上应该是一致的，体系上也完全可以统一起来；另外，我国目前有关青少年的基本权利政策、健康政策、教育政策、福利政策、预防犯罪政策、司法保护政策，主体都已经包括0到18岁的未成年人，我们无法把儿童从青少年政策中清晰地剥离开来。

综上所述，我们所主张的青少年政策的概念是国家（含地方）或政党所制定的旨在促进青少年的发展，使他们形成自主性、责任感和社会适应

能力的一系列指导思想和行动准则。

二、审视评估，总结经验，开创新局面

新中国的历代领导人，对青少年工作都非常重视，并对青少年寄予厚望。新中国成立以来，党和国家的青少年政策逐步得到了全面发展。

首先，青少年政策的内容基本齐备，初步形成体系。到目前为止，尽管我国还没有明确的青少年政策这一划分门类，但是，我们看到有关儿童和青少年的各种政策已经相当多了。关于儿童和青少年的基本权利，我们有基本法《宪法》的规定；关于教育，我们有《义务教育法》、《高等教育法》、《职业教育法》、《教师法》；关于就业，我们有《劳动法》和《关于禁止使用童工的规定》；关于健康，我们有《婚姻法》、《学校卫生工作条例》；关于未成年人保护和预防其违法犯罪，我们有《未成年人保护法》和《预防未成年人犯罪法》以及一系列综合治理的政策文件，等等。联合国在倡导制定青少年政策纲领文件中指出，教育、就业、饥饿与贫穷、健康、环境、药物滥用、少年犯罪、闲暇活动、女孩和青年妇女、青年的社会参与十个优先行动领域，我国目前在这些领域基本上都制定了相关的政策。因此，可以说，我国已经具备了青少年政策的实质性框架。

其次，我国的青少年政策也在逐渐走向跨部门的综合和统一。目前，我国基本上还是一种部门垂直分工、各自负责青少年一两个方面的问题、制定和执行相关政策这样一种格局。但是，青少年工作的有效开展，需要各部门之间的紧密配合，令人可喜的是，我国目前这方面的工作有了不小的进展。1992年，我国第一部青少年专门立法——《未成年人保护法》颁布并实施，各级政府负责组织协调各有关部门，从家庭、学校、社会、司法各个领域共同采取行动保护未成年人；1999年，我国第一部《预防未成年人犯罪法》颁布并实施，各级政府组织协调各个部门，共同开展青少年违法犯罪的预防工作。这两部法律具有深远的意义,意味着我国的青少年工作将转向主体导向,这将更有利于各部门之间政策的统一和协调,有利于全面贯彻一致的青少年政策理念,最终将更加有利于儿童和青少年的健康成长。

再次,共青团组织受政府委托协助管理青少年事务,做了大量的工作。我们知道,我国政府中没有专司青少年事务的机构,这方面的工作由有关政府部门管理和承担,并明确共青团组织予以协助。建国以来,共青团构建了全国的各级团组织,形成了自上而下统一协调的青少年工作体系。通过这一体系,有效地协助各级政府管理、承担了大量的青少年事务。特别是改革开放以来,在《到2000年及其后世界青年行动纲领》中确定的十个青年发展优先领域,中国青年的活动非常活跃,我们实施的"希望工程"和开展的"青年志愿者行动",已成为中国公益事业的品牌项目;促进青年就业的"下岗再就业、再创业"工程蓬勃展开;环境保护领域中的"保护母亲河行动",有二亿五千万青少年为祖国的环保事业做出奉献;在推动经济建设和社会发展方面,"岗位能手"活动、"争创青年文明号"、"创建青年文明社区",青少年热情高涨;在青少年权益保护方面,各地均已成立了未成年人保护委员会,推出了"保护明天"行动,在全国形成了未成年人权益保护网络等等。这些活动的展开,体现了共青团组织在协助政府管理青少年事务领域发挥了重要作用。另一方面,青少年通过这一系统,能够积极有效地参与到活动中来,从而体现青年群体的特殊作用与价值。90年代后,团中央先后制定了《在建立社会主义市场经济体制进程中我国青年工作战略发展规划》和《共青团工作跨世纪发展纲要》,体现了对共青团工作后续发展的前瞻与规划。在其后的工作中,国家有关部委和团中央,围绕青少年的教育、培训、就业、志愿服务等推出了一系列重要举措,如:推进素质教育,探索预防青少年违法犯罪新方法,推进职业教育改革与发展、促进青年再就业等。集中反映了我国的青少年政策,正在向着更为具体的事务化方向发展,也就是我们常说的把为青少年服务落在实处。

　　总结半个世纪以来我国处理青少年事务的经验，规划好未来的走向，提高青少年政策的实际效用，创造中国特色社会主义国家处理青少年事务的新经验，是摆在我们面前的一个重要而现实的课题。

三、领会内涵变化，开阔视野，洋为中用

　　"青少年事务与政策"这个话题自90年代以来，在内涵上有了很大变化。第二次世界大战后所形成的两大阵营，在意识形态上针锋相对，各阵营为强化政治需要，青少年事务与政策就必须服从各自阵营的意识形态理念，这就使两大阵营在处理青少年事务、决策青少年政策的过程中，不少地方脱离了青少年这个特殊群体的利益，青少年社会化问题和青少年社会化过程中的社会关爱问题，被放到了一个较次要的地位。这种状况在上世纪90年代初冷战结束后，有了很大的改观。以反殖民主义、反帝国主义、反霸权主义或是以反战争、反独裁为核心的青年运动，向着关注青年自身发展，创造良好的生存环境，解决发展中的青年实际问题的方向转变；这种新的"青少年事务"的理念，强调青少年在社会发展中起到建设性的作用；青少年政策则是为了青少年事务的展开而制定的法律、法规、策略与机制。

　　青少年事务与政策的话题，得到了世界各国的积极响应并付诸行动。1995年第50届联合国大会通过的《到2000年及其后世界青年行政纲领》中的内容与条款，在1998年首届世界青年事务部长会议上，得到进一步强化与承诺，并发表了著名的《关于青年政策和方案》的里斯本宣言。使青少年事务与政策这一概念更加具体化、国际化。

　　面对国外的青少年事务与政策方面的理念与做法，打开思路，放开视野尤为重要。例如：北欧国家浓重的教育氛围，得益于政府对青年学习的鼓励和经济上的保障与硬件设施上的提供；再如：德国在每个青少年很小

的时候，教师就根据他的实际情况，与他一起筹划未来的职业走向，德国的"学徒制度"独树一帜，为青年提供了多种成才途径，但却能够达到与大学毕业者同样的社会与经济地位；又如法国，不仅在政府专门设立了青年与体育部，使相关的青年政策具有政府指令的性质，而且基层的青年工作以就业为中心，在培训、指导、咨询等方面做得非常具体，每个参加培训的青少年还可得到政府的资助。我们当然不可能完全照搬国外的经验，但却能够给我们以重要的启示。

就青少年政策的理念来讲，当前世界各国一个可以普遍观察到的趋势是，青少年政策的对象日趋"普遍"，内容日趋"积极"，不再是以往那样只针对问题青少年进行消极补救，而是关注所有青少年的发展需要，积极地促进青少年的成长和个人价值的实现。1999年，全国青联和联合国青年部联合主办了"中国与联合国青年议题小组会议"，就中国贯彻落实青少年发展的十个优先领域的问题展开了讨论。这是我国首次就青少年发展问题与联合国合作召开的会议，也是我国签署《到2000年及其后世界青年行动纲领》后所开展的系列工作之一。

尽管我们也做出了努力，但是，不可否认，我们仍存在不少问题。最主要是我国还没有形成全国统一的制定、执行和监测青少年政策和管理青少年事务的机制。虽然共青团组织受政府委托协助管理青少年事务，但就国家众多有关青少年事务管理的部门来讲，还未形成法定的、有效的协调机制，资源的整合，职能的衔接，工作的有机配合还存在不少不尽如人意的地方，因此，派生出许多问题。

首先，青少年政策分散由各个部门制定，难以确保"积极、福利"理念的全面贯彻落实。各个部门制定政策时的出发点是权衡整个系统管理的需要，它的对象是全部人口，很难充分关注青少年群体的特殊需要。

其次，目前我国的青少年政策存在内容上的漏洞和缺陷。例如就业、社会保障、住房等方面就缺乏有关青少年的专门政策；社会福利方面尽管我们对困境中的儿童和青少年有实际的帮助工作，但缺乏相应的青少年政策

作为指导。另外，有些有关青少年的政策内容不够具体明确，缺乏可操作性，例如有关家庭监护责任的规定，《未成年人保护法》只规定如果家长不尽监护义务就撤消其监护权，但对"生父母和孩子之间还有哪些关系"、"孩子今后怎么办"等问题都没有做出清楚的规定，结果法院几乎不适用这一条文。再有，各部门分别制定的青少年政策也产生了相互之间衔接困难的问题。

再次，对这些政策的执行效果缺少监测和评估。现代社会是讲究成本效益、讲究科学方法的社会，我们国家尽管在青少年政策的执行方面已经投入了大量的人力和物力，但是效果如何却缺少适当的跟踪、监测和评估。

我们了解到世界上许多国家已经建立了成熟的青少年政策工作机制，如德国、奥地利、西班牙和葡萄牙，这些国家都在政府中设有青少年工作部门，负责制定、监督执行全国的青少年政策。我国的香港、澳门、台湾地区，在青少年政策的制定和事务的管理方面，也有不少经验。我们要在当今文化多元、市场经济的背景下，根据我们的国情，加以消化、吸收，去创造中国特色的，不断丰富、完善的符合青少年发展需求的新举措、新经验。

作者单位：中国青少年研究中心

关成华

共青团开展未成年人思想道德建设的工作机制创新问题

加强和改进未成年人思想道德建设，关键是要适应国际国内形势的深刻变化，改善工作中与之不相适应的环节，解决未成年人思想道德建设面临的一系列课题。《中共中央国务院关于进一步加强和改进未成年人思想道德建设的若干意见》指出，"面对新的形势和任务，未成年人思想道德建设工作还存在许多不适应的地方和亟待加强的薄弱环节。""未成年人思想道德建设在体制机制、思想观念、内容形式、方法手段、队伍建设、经费投入、政策措施等方面还有许多与时代要求不相适应的地方。这些问题应当引起足够重视，并采取有效措施加以解决。"

这些"不相适应的地方"和"薄弱环节"，在共青团组织开展未成年人思想道德建设工作中，也体现在许多方面和层面。其中最为深刻的不适应，是在工作机制层面，表现为工作机制的主要构成要素及其相互作用方式尚未走出计划经济体制的深刻影响，从而制约了整体工作的现实推进和长远发展。

所谓"机制"，是指"有机体各部分的功能、特性，及其相互联系和相互作用等"。延伸到工作机制，是指一项工作顺利开展必需的组成部分及其相互关系。在这里，共青团组织开展未成年人思想道德建设的工作机制，主

要包括决策和协调机制、内容和项目体系、组织和实施体系，以及评估和激励机制，四个部分相互制约、相互促进。其中决策和协调机制是首要职能，是对如何选择、制定目标方案和执行方案的基本方式的规定，对于工作机制是否科学合理起着至关重要的作用，也是工作机制的其他三个部分顺利、配套运行的基础；内容和项目体系是在决策机制的基础上形成的，是共青团未成年人思想道德建设的外在表现形式，也是共青团工作职能的具体体现；组织和实施体系是在决策机制的基础上，落实、执行内容和项目体系的机构、制度与能力，肩负着组织建设、资源调配、操作运行等重要职责，直接决定着工作推进的力度和效果；评估和激励机制则是对工作机制的前三个部分总体结果进行监督、测评、调整和完善，是工作机制得以自我完善、自我发展的手段，为工作机制可持续发展提供动力。改善工作机制，使其与时代发展、社会变革相适应，必须在完善各组成部分的同时兼顾相互作用的方式，确保工作机制的整体有效运行。而改善工作机制、解决存在问题的惟一方法，只有创新。

创新就是要打破思想束缚，创造性地开展工作、解决问题，这是共青团在新的形势下实现新任务的首要要求。要克服工作机制深刻的不适应，构建起未成年人思想道德建设的新机制，使其符合党的要求、社会的发展和未成年人的利益需求，必须进行深刻的、务实的变革。惟有创新，才能将变革落到实处，取得新的成效，没有创新，就不可能有进步和发展。当前，以创新为动力变革和完善未成年人思想道德建设机制，要立足现实，把有利的条件转化为现实业绩，更主要的是着眼长远，在继承中创新，在创新中发展，在理论和实践双层面实现持续的进步和稳步的发展。

一、 提高决策的科学性，构建高效的决策和协调机制

决策和协调机制规定了选择、制定目标方案和执行方案的基本方式和

领导方式,其核心要求是科学和高效,这也应该成为构建新机制的目标。要提高决策机制的科学性,就要在过程中体现科学决策的一些基本原则,如系统原则、信息原则、智囊原则、客观原则、效益原则等等。要提高协调机制的高效性,就要树立其权威性,就要对机构设置、职责、权限及效率保障等方面进行明确、具体的规定。

1.建立全团性的决策机构和决策机制。思想道德建设始终是共青团工作的重要领域和传统优势,在其中,未成年人思想道德建设因为其作用具有基础性、影响具有深远性、教育时机具有最佳性,而具有重中之重的位置。目前,共青团未成年人思想道德建设职能主要由与基础教育和文化产业相关的一些部门和系统来承担,工作方式主要是各自经营品牌项目和系列活动,尚未形成全团整体运作的工作机制。无论从工作的重要性还是决策的科学性来看,都需要打破目前的状态,从全团高度建立决策机构和决策机制,整体把握决策环节。全团性决策机构和决策机制的建立,要创造性地赋予其实质内涵,提升其科学性和执行力,避免简单的人员和制度的罗列。建立过程中,大致需要体现几个原则:一是系统原则,在人员构成和决策过程上,能够兼顾全团工作格局、全社会未成年人思想道德建设工作大局,把握好整体与个体、局部与全局的关系;二是信息原则,决策的过程就是信息收集和处理的过程。要建立未成年人发展状况监测系统和日常的信息收集、处理系统,充分发挥研究机构的作用以及网络等信息工具的作用,提高决策的实际效能;三是客观原则,从机制上保证在决策过程中进行可行性分析,多角度、多层面听取和考虑客观环境中存在的有利条件和各种制约因素,努力做到决策的主观目标与客观实际相符合,增强决策的具体执行能力,减少盲目性;四是效益原则,从机制上争取决策效益的最大化,兼顾效率与民主。决策过程是方案择优过程,要引入一定数量的备选方案进行优化,鼓励相关人员公开讨论、平等竞争,处理好民主决策与提高效率的关系。通过建立全团性决策机构和决策机制,争取每年就未成年人中存在的热点、难点问题,以及未成年人工作中存在的热点、难

点问题选取一个重点，推出一项具有实效性的重大举措。

2．建立团外的智囊机构、专家执行机构以及合作机制。组织社会学的研究表明，任何组织都不可能孤立存在，必须不停地与其环境进行物质、能量和信息的交换。当组织输出的是积极的、建设性的、有益的物质、能量和信息时，这种交换就是正确的、互相促进的，组织就会获得环境的支持。管理学的研究表明，面对不断发展的社会条件和复杂多变的管理问题，单凭精英人物的个人判断或依赖小集团的群体决策，都难以完成社会所赋予公共部门的决策使命。因此，共青团组织构建新的决策机制，还需要体现"智囊原则"，也就是借助外脑，发挥思想库的作用，让专家和富有实际经验的人来参与决策，做到集思广益、群策群力，为决策成功奠定坚实的基础。改革开放以来，共青团未成年人思想道德建设的创新实践也已经证明，工作的突破和发展必须依赖于创新性的工作项目，而大凡生命力强的新生项目，往往包含较高的专业成份和科学含量，项目的成功往往是赢得了专家的支持和参与。因此，要建立团外的智囊机构，从机制上保证重要的决策、实施、评估方案等环节广泛听取专家的意见。建立专家执行机构和合作机制，科学含量较高的实施环节邀请专家成立专门的执行机构，或邀请专业团体合作。需要特别强调的是，智囊机构要注重吸纳教育界党政领导、专业人员参与，让他们参与决策过程，认真听取他们的意见，确保共青团围绕大局开展工作，并争取与教育相关职能部门联合开展工作，形成相互支持、相互认可的工作局面，为基层共青团、少先队工作者理顺工作关系，优化工作环境、执行决策创造条件。

3．建立未成年人思想道德建设的统一协调机构和高效协调机制。协调是按照决策部署、合理调配资源，并解决资源调配过程中产生的矛盾和问题的过程。实现这一过程，必须树立协调机构的权威性和统一性，提高协调机制的效率，确保协调工作的有序、通畅。改善协调机构和机制，首先要对机构设置、职责、权限及效率保障等方面进行明确、具体的规定。团内的协调机构，要起到为全团重点项目的实施整合资源、提供保障的作用，

以及协调各部门、各系统就有关工作相互沟通、相互支持的作用。团外的协调机构，需对现有的协调机构进行功能整合。改革开放以来，未成年人思想道德建设工作的协调机构逐步增多，据不完全统计，有未成年人保护委员会、预防未成年人违法犯罪工作办公室、妇女儿童保护委员会、精神文明建设工作委员会办公室、中小学校外教育工作委员会等等，这些协调机构的协调对象经常是重叠的，工作对象是一致的，而协调角度是多元的，对工作的长远发展不利。建议将这些协调机构进行功能区分，功能相同或相近的，要机构合一，提高协调机构的领导层次，形成未成年人思想道德建设在一个地区整体规划、统一部署、统一协调的新局面。在建设协调机制过程中，除注重发挥正常情况下的协调功能外，还需着力培养应急反应机制，以应付发生在未成年人身上的突发事件和对未成年人产生较大影响的社会突发事件。要确保在突发事件将要来临或已经来临时，共青团能够快速获取大量准确信息，迅速与专家、教育部门取得合力，准确预测事件发展走势并形成科学决策，有效调配团内外资源在第一时间采取行动。共青团在突发事件面临的应急反应能力，实质上依赖并检验着决策机制、协调机制的日常建设及运行状况。

二、对接需求，提高项目化运作能力，构建和完善结构合理、可持续运行的内容和项目体系

内容和项目体系是承接共青团未成年人思想道德建设职能的工作载体。对内容和项目体系的梳理和重构，实质上是共青团对新形势下工作定位、工作任务的再分析，也是对重构工作格局、实现新发展的战略性思考。这项工作必须在科学的决策机制之下，由全团的决策机构来牵头完成。构建内容和项目体系的核心要求是项目运作、结构合理、可持续发展。具体地说，就是新的内容和项目体系既要覆盖共青团在这项工作中的全部职能，

又要从形势、任务出发科学铺排精力、突出其中的重点项目；既要立足现实，着眼于当下的未成年人得到实惠、共青团取得实绩，又要符合组织和工作的战略性思考，确保项目在全团工作格局中，在一个相对较长的时期内，相对稳定，并持续性地完善和发展；既要保持共青团传统的大型活动优势，更要下功夫探索项目化运作模式，逐步由固定的、具体的项目取代随意性强的活动，建立起项目体系。增强项目运作能力，必然增强项目的吸引力、凝聚力，从而真正达到青少年愿意参加团的活动、愿意跟团走的要求，以项目促进共青团组织的建设，解决自身长远发展的问题。

1. 从共青团工作职能出发，把握未成年人成长规律，构建"三位一体"的内容体系。构建共青团未成年人思想道德建设的内容体系，要从团的职能和未成年人成长规律出发，大体上包括三个方面的内容：一是教育和引导体系。教育引导是共青团先进性的具体体现。未成年人处在人生观、世界观、价值观形成的关键时期，模仿能力强，辨别判断能力差，需要进行正确的教育和引导；二是服务和保护体系。服务是团的基本职能和团的根本宗旨的具体体现，也是团的一切工作的出发点和落脚点。未成年人相对处于弱势，需要成人特殊的关爱关注、提供服务和保护，他们自身往往难以强势表达成长需求，需要有组织来代表和维护他们的利益；三是优化环境体系。未成年人心智发育尚未成熟，极易受流行文化、社会风气等环境的影响，容易受家长、教师等他人的影响，需要为他们营造良好的家庭氛围、学校氛围和社会氛围，净化成长环境。内容体系的三个方面，整体统一于促进未成年人全面素质的提高，促进未成年人的全面发展。三者要有机结合，特别要努力做到服务保护未成年人与教育引导未成年人有机结合，服务未成年人根本利益和服务未成年人具体利益有机结合。

2. 在科学论证的基础上，推出一批教育引导未成年人、服务保护未成年人和优化未成年人成长环境的工作项目，构建结构合理的项目体系。当前，团组织在未成年人工作领域中存在的一个十分突出的问题，就是服务青少年的能力、资源和项目匮乏，对青少年的吸引力和感召力下降。要把服务保护未成年人作为构建项目体系的重点，结合未成年人学习、交往、健康安全、社会参与、升学就业和休闲娱乐等多层次需求，积极推出一批服务未成年人的具体项目和举措。要高度重视服务未成年人特殊群体的工作，重点加强对贫困家庭学生、城市流动人口子女、单亲家庭子女和留守儿童的服务，加强对失管和有不良行为未成年人的教育管理和引导力度；要服务于未成年人的自我保护需求，持续推进"星光青春保护行动"，大力开展预防艾滋病教育和远离毒品教育；要维护青少年合法权益，积极协助有关部门，推动保护青少年权益的法律、法规、政策的制定和落实；要创造性地推出一批新的服务项目，加大以心理健康教育为内容的"阳光心语行动"等工作的探索力度，积极呼吁并协助有关部门建立"城市流浪儿童救助中心"，以此为起点，启动"城市未成年人救助体系"的建设工作。在重点构建服务项目体系的同时，要对教育引导未成年人工作项目进行梳理，总结分析那些长期可持续发展工作项目的成功经验，发现其中的薄弱环节和问题，借鉴国内外的先进做法，将原有项目与服务功能相结合，进行项目的科学化、具体化。要重新规划优化未成年人成长环境的工作项目，发挥好团属企事业单位的服务功能，积极创造条件建设新的服务阵地，制作更多更好的文化产品，重点加强社区青少年服务场所和设施的建设；要把优化环境项目的重点放在优化家庭教育环境上，创造性地推出一批面向家长的服务项目，帮助一些家长走出教育独生子女的观念和方法上的误区。

构建面向未成年人的工作项目网络，还应该注意两个环节：一是工作项目网络要科学贯穿未成年人各个年龄阶段，既有针对不同年级的内容特色，也有各年级之间内容逐步递升的内在关联性。要在稳定工作格局的基础上，进行项目梳理和创新。避免出现各项目之间缺乏内在联系，新老项目零散地堆积在一起，梳理不清的复杂局面。二是整体实施在各级组织层面，中央、各省市、各学校及至社区等各级团组织，上下呼应，整体实施，既有全团一致性，也有各地方在项目具体内容和操作方法上的创造性。避免项目经常更换、项目体系庞杂的现象。此外，项目体系构成情况要与共

青团组织的人力、物力、财力以及资源调配能力相匹配，增强项目体系的可行性和实效性。

3. 积极探索项目化运作模式，增强项目强势、独立、长效运转能力。构建项目体系，必须构建与之相匹配的项目化运作模式。项目化运作模式，要求共青团走出传统的计划性、指令性、"大而全"、游击战的工作模式，向市场化、社会化、具体化、阵地战方向转变。实现这一转变，要求工作项目必须内涵明确、措施具体、需求旺盛、相对稳定，在工作队伍、经费、场地、时间、激励等多方面能够形成制度性保障和政策保障，逐步形成项目自转机制，推动项目自转能力。要引入市场化的竞争和优化机制，使未成年人参与活动在最低时限上具有强制性，在参与项目上具有选择性，以未成年人的参与情况，作为判断项目优胜劣汰的一个重要标准；要引入社会化手段，借助社会力量实施项目，并加大项目校外实施特别是社区实施、专项实施、其他机构实施的探索力度；要实现项目的具体化，明确每个项目的目标、实施主体、手段和步骤；实现项目的阵地化、长期化，使单个的活动成为有计划实施项目的手段，成为促进项目运行机制建设的组成部分。同时，共青团组织的项目化运作要与新课程体系改革相结合，探索在新课程体系实施过程中，共青团开展未成年人思想道德建设的部分项目——特别是社区服务和社会实践项目、自护教育项目、心理健康实践教育项目——进入课程的可行性和具体运作模式。

三、适应社会变革，构建多元化、社会化的组织和实施体系

组织和实施体系是以一定的组织形式整合、调动人力资源和物力资源进行决策执行，并将内容和项目体系转化为具体行动的运行载体。创新组织和实施体系，核心目标是增强资源调配能力和决策执行能力，而资源的核心是人，决策执行能力的决定因素也是人。因此，创新组织和实施体系，

关键在于有效拓展人力资源，通过人力资源来扩展物力资源。实现这一目标，要求共青团适应社会组织的深刻变革，逐步还原共青团组织的社会属性，创建多种组织形态，积极建立外部支持系统，尽可能在更多的时间覆盖更多的未成年人，尽可能依托外部的社团、中介、非政府组织等社会团体，形成多元化的组织体系和社会化的实施体系。

1. **适应社会组织的深刻变革，探索多种组织形态，构建多元化的组织体系。**共青团未成年人思想道德建设多元化的组织体系，至少可以由四种组织形态构成：一是传统组织形态，指分布在中学、小学里成建制、成体系的共青团、少先队组织，在相当长一段时期内仍然是未成年人思想道德建设的一支重要力量。要按照中央文件的精神，充分发挥这支队伍的重要作用。二是团的新型组织形态，包括在社区、民办学校和外来打工子弟学校建立的共青团、少先队组织，这些组织建立之后，急需探索出一条适合民营学校和社区实际的特殊发展之路；三是新型学生组织形态，包括通过学代会选举产生的学生会组织、校园内学生社团组织、各类兴趣小组、社区里青少年协会组织、校园外学生自发形成的亚群体等等，面对各种类型的学生组织，共青团要研究与这些组织的相互关系问题，能够有效渗透并具备较大影响力；四是外部组织支持系统，包括与未成年人相关的、与共青团进行合作的志愿者团体、社工队伍、高等院校等研究机构、民间非政府组织、企事业单位等等。在这四种组织形态中，共青团应当加紧研究独生子女对群体组成方式的需求问题，以及外部组织支持系统的构建问题。

随着社会变革的加剧，未成年人作为独生子女对群体组成方式的需求发生了很大变化。特别是城市核心家庭的增加、大批新建住宅区的形成，使得独生子女的交往范围、亲情关系、未成年人之间的交往方式及其所形成的亚文化都呈现出新的特征，独生子女在业余生活中产生了强烈的同伴交往需求、游戏需求、社会参与需求和兴趣活动需求，却始终没能以组织和机制的方式予以解决，这在很大程度上困扰着社会、家庭、孩子和青少年组织。共青团要敏锐地捕捉到这些需求，加紧在实践层面尝试建立社区未

成年人的有效组织形态和活动机制。

　　同时，共青团组织还要高度重视、抓紧研究与非政府组织的合作问题。在中国社会重新塑造社会组织的深刻变革中，承担社会公益事务的非赢利组织的兴起成为社会组织变革的新趋势，这些组织在扶贫、环保、社区发展、医疗卫生、助残、减灾、教育、培训等诸多领域为社会和经济发展做出了重大贡献，同时，政府也正在逐渐将上述领域的服务职能转移给各类社会组织。其中许多组织的服务对象全部或部分是未成年人。与此同时，共青团开发和实施面向未成年人的服务项目，急需专业人士和专业团体的支持与合作，要通过与非政府组织的合作，催生和扶持一批新兴的未成年人服务项目和服务产业，探索一条非政府组织承办的实施模式，增强共青团还原社会属性、实现社会价值的意识和能力。

　　此外，共青团还要抓紧扶持、培养一批帮助团组织开展未成年人工作的社工队伍，包括青少年心理健康、青少年法律援助、青少年自护教育、特殊青少年救助服务、青少年监测等专业服务队伍，以及按照项目划分的专业志愿者队伍。

　　2. 按照承办青少年事务的模式，拓宽思路和渠道，构建社会化实施体系。 构建多元化的组织体系，能够为社会化实施提供人力支持。在此基础上，还要积极从政策、物质等方面促进社会化运行机制的建立。要按照承办青少年事务的模式，积极研究以政府为主导的面向未成年人的服务项目的内容、种类及推进模式，协助政府部门积极推动这些主导服务项目的社会承办制，推动未成年人服务工作实现体制上的突破；积极推动未成年人服务产业的形成和发育，特别是咨询业、文化业等当前比较欠缺的服务行业，探索市场化、规模化的运作方式；积极培育、扶持一批面向未成年人的社会团体、中介组织和服务机构，逐步将目前共青团已经发育成熟的工作项目交由社会组织来承办实施。

四、 以人为本，构建公正的、切实可行的评估和激励机制

评估和激励机制是对项目实施过程和结果进行监督、测评与调整，对项目参与主体予以激励的规定和过程。是共青团组织作为工作机制的实施主体，立足自身，进行工作机制自我完善和可持续发展的手段。构建新的评估和激励机制，核心问题是建立评估和激励的实施主体，建立"以人为本"的判断标准，建立切实可行的评估和激励手段。其中至关重要的环节，是树立"以人为本"的理念，把未成年人是否满意、是否受益、是否得到真正的实惠作为评价未成年人思想道德建设工作的惟一标准。

1. 建立评估和激励的实施主体和评价主体。作为共青团工作机制的有机组成部分，这里的评估和激励机制，是共青团为了完善工作机制而作为实施主体主动开展的评价，但并不是直接的、简单的自我评价。恰恰相反，共青团的主体性和主动性，体现在主动发动、组织他人和群体来评价自己。这里的他人和群体，核心部分是直接参加项目活动的未成年人及其家长，在各个层面的评价过程中都要吸收他们直接参与，其评价结果对于评估工作占有相当重要的分量；其次，是某专业领域的专家和教育行政部门，从专业和教育全局的角度，衡量工作；最后，是参与项目组织的人员和团体，对工作实施的进程、成绩和困难进行自我评价。评价主体需要在实施主体的组织下开展评估工作，因此，共青团未成年人思想道德建设的决策、协调机构应当担当起实施主体的职责，负责评估工作的具体协调。

2. 制定"以人为本"的评估标准。标准是从目标出发的，共青团未成年人思想道德建设的目标定位在未成年人全面素质的提高，立足于未成年人的全面发展。因此，评估标准很简单，就是未成年人是否满意、是否能够对其成长起到实实在在的帮助。确立了这一工作标准，也就强调了共青团的服务意识、效率意识和以未年人为主体的主体意识，有利于克服干部的畏难情绪和急躁心理，踏踏实实做实事，争取新的成效。

3．建立切实可行的评估和激励手段。要建立起未成年人、社会各方面等评估主体参与决策、实施、结果等全过程的评估渠道，要具备切实可行的评估和激励手段。最重要的一点，是要建立信息公开渠道，形成信息公开制度，通过团属网络、报刊等媒体适度地、逐步地实行决策信息、项目信息公示制，保证未成年人及其家长获得知情权和选择权；要建立重要决策的听证会制度，公开面向社会和未成年人多渠道、多角度进行方案征询和征求意见的工作；在项目评估过程中，要采取多种形式吸收未成年人及其家长，给他们发表意见的机会，认真听取和尊重他们的意见；专业性较强的工作项目，要及时召开专家讨论会，要集思广益。

4．在评估的基础上，建立公正的激励机制。构建激励机制，要求覆盖到每个方面，加大奖惩力度。覆盖全面的要求，就是要照顾到参与共青团未成年人思想道德建设的各个方面和层面，不仅要激励传统组织体系内的人员和群体，也要考虑到外围组织支持系统和其他组织形态的人员和群体，特别是对社工队伍、志愿者队伍、专家队伍和"五老"队伍等，要及时予以认证和鼓励；对于各级基层团组织，承办项目的社团组织和服务机构，应建立起"以奖代投"制度，将评估结果与加大投入直接挂钩，尽可能为"优秀者更优"创造条件。

构建共青团未成年人思想道德建设新机制，是创新、是建设，也可以说是一场深刻的变革。要本着积极稳妥的态度，正确把握事物发展方向，清醒判断客观现实，在现行体制框架内，大胆尝试，争取机制建设的实质性突破。要做到这一点，还要树立正确的政绩观，处理好三个关系。一是正确处理好团干部短期任职与组织长远发展的关系。团的干部特别是领导干部，要有对共青团事业高度负责的态度。既要注重将现实有利条件转化为工作实绩，也要通过机制建设推进共青团的长远生存与发展。要珍视团在未成年人心目中的形象，注意避免那种注重活动规模及宣传效果、忽视未成年人实际感受的道具化倾向；二是正确处理好活动与建设的关系。把重点放在提高团组织的能力建设上，以活动促建设，逐步增强承担政府青少

年事务工作的能力、代表和维护青少年利益的能力、服务青少年具体需求的能力，不断扩展新形势下共青团组织生存与发展空间；三是正确处理好责任与权利的关系。要明确共青团是有限责任、有限能力的主体，要在职能和体制框架下，进一步研究和明确构建新机制的阶段性目标、工作重点和推进步骤，脚踏实地、积极稳妥地抓好创新实践。

作者单位：共青团北京市委

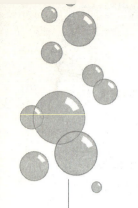

陆士桢

未成年人思想道德教育的误区与对策

　　中央颁布了《关于进一步加强和改进未成年人思想道德建设的若干意见》后，社会上普通民众对于青少年思想道德发展的状况有较多的议论。可以说，加强青少年思想道德建设已成为全社会的共识和一种紧迫的需求。早在十几年前，邓小平同志就指出，最大的失误是教育。事实上，改革开放以来，各级政府、组织、校内外教育机构、公众，对于青少年的思想道德教育不能说不重视，投入了较大的精力，也多次进行过认真的研究和思考。但我们确实无法回避的一个事实是，随着社会的变迁，社会的青少年问题和青少年的社会问题日益突出，日益在较大的程度上影响着人民大众的生活和社会的稳定。传统的思想道德教育的问题出在什么地方？今天的青少年到底生活在一种什么样的环境之中，他们自身又具有哪些特征和需求？究竟怎样才能使我们的思想道德教育真正落到实处，真正取得实效？这些问题关系到党和国家事业的发展，也关系到社会上千家万户的期望与安康。未成年人思想道德建设的求真务实，是中央文件提出的要求，也是今天青少年工作及其工作者面对青少年群体必须回答的问题。

一、清醒认识当代青少年的成长环境

胡锦涛总书记在全国加强和改进未成年人思想道德建设工作会议上强调，要积极创造未成年人健康成长的良好社会环境，为未成年人思想道德建设创造良好的舆论环境、文化环境、法制环境。环境是直接影响青少年道德发展的最重要的元素，目前在青少年道德教育中有几个社会环境因素值得我们高度重视。

首先是市场运行规则的社会制约力。市场经济的最直接的价值表达是，以成败论英雄，以物化结果论成败。这种意识作为一种潜规则，在实际的社会生活中，发挥着举足轻重的作用。思想道德教育脱离了这种潜规则的背景，脱离了人们受这种规则制约的现实，不回答如何在这种基本规则的前提下发展道德，就可能事倍功半，甚至走向反面。总体来说，市场化对少年儿童道德价值的发展带来三种倾向。一是忽视精神的现实化倾向。一个人活着，必然面临着"我是谁？我到底要什么？"的问题，现实化的社会实际让今天的很多孩子不知道为什么学习，为什么活着。青少年中普遍的信仰缺失，是引发青少年社会问题的重要源头，云南大学马加爵杀人案，人们曾经将原因归结为贫困、生存压力等个案性因素，马临刑前的自白表明，信念的缺乏才是他走向深渊的根本原因。这是值得全社会高度重视的带有普遍性的问题。二是金钱第一的物质化倾向。市场带来的物质化发展，使得社会的金钱观发生相当的扭曲，在相当大的范畴内，金钱成为社会事物的重要的甚至是惟一的杠杆，这种价值观念强烈地影响了整个社会，自然也强烈地影响了下一代人的价值观念和人生态度。三是权利义务明晰的契约化倾向。在市场体制下，社会观念与原来的计划经济体制下最大的区别，就在于不再是无条件地否定人的个人利益和个性发展的追求，而个人领域和公共领域、个人与他人之间的关系需要由制度、程序、契约等来规范和约束，这也对社会道德体系和诚信规范的建立提出了挑战。青少年对

这样一种新的社会道德体系有着天然的认同和接纳，我们不能再重复原有的、简单的、至高无上的价值体系的说教，应该代之以实事求是的、更符合社会现实需要的规则和诚信的教育。

其次是多元化的意识形态。我们过去的社会在整体上是一种一元化的状态，特别是在意识形态领域，思想政治工作依靠着强大的意识形态力量。"毛主席挥手我前进"，实际上表达了社会权威对人们社会行为的巨大影响力。在这种影响力下的思想教育，就社会控制和社会安全来说，无论是功能上，还是实际运行上，都处在相对简单的、辅助性的位置上。目前影响少年儿童道德认识的意识形态主要有三组冲突。一是东、西方思想意识形态的碰撞。改革开放20多年来，西方的价值观在中国影响非常大，而影响的主体主要是青少年。西方价值是伴随着一些流行的商品和生活方式进入的，而真正影响深刻的精神内核，即以个人为本的社会价值观念。二是马克思主义思想体系与资本主义思想体系的较量。这是一个长期的任务，我们坚持共产主义的理想信念，需要让这种信念真实地根植于下一代的灵魂之中。而实际的政治课教育常常是两张皮，大学、中学的政治课改革，长期以来并没能真正解决这个问题，如何既抓住理想信念的实质和内核，又真正和现实紧密结合，用孩子真能理解的话语表达出来，是今后思想理论教育的重要任务。三是科学民主精神与封建传统的斗争。民主是个长期的过程，它不仅是法律制度的建设，而且是运行机制的建设，同时也是意识形态的建设，这是关乎到全体人民的社会建设，需要从未成年人抓起。

第三是道德发展的挑战。随着社会的进步发展，社会道德发生了相应的重大变化，应该说，20多年来我们社会的道德价值在不断进步，而青少年又是道德进步的先锋和桥梁。目前影响少年儿童道德行为的社会道德发展有三种趋势。一是反映社会生活的范围不断扩大。道德进步的一个突出表现，是一些新的道德领域不断出现，如宇宙伦理、动物福利等，它标志着人类社会的进步。青少年在新的道德领域里往往是最活跃的，他们接受新的道德理念最快，也最不带旧的痕迹。二是道德的自觉性本质日益清晰。

社会保持良好的秩序，依靠的是道德和法制两只手。法制强调的是强制性，道德强调的是自律性、自觉性。长期以来，因为中国法制的不健全，道德也就不可能彻底自觉。我们以改革开放前社会青少年学习雷锋的活动为例，这是一场运动，而不是单纯的青少年道德行为。一个人学习雷锋做好事，往往取决于多种动因，如想帮助受助者、希望获得肯定和表扬、周围人们行为的压力等等，此时当事人的行为诉求，往往主要不在受助对象，而在于这个行为本身。之所以发生老太太本来不需要过马路，有人为了学雷锋而强行把老太太扶过马路的事件，就是因为行为本身的自觉性是不彻底的，行为承载着社会肯定和氛围压力，它与今天一个每月只挣300元钱的人，在媒体上看到一个孩子得了重病没钱医治，悄悄到医院献上 5 元钱的行为相比，后者可能显得不那样高尚，但却自觉、真实。三是道德反应客观事物总体价值更真实、科学、深入、有效。就本质而言，道德实际上是外部的客观事物的规律和价值在人内心深处的一种反映。关于道德，有两种认识。一种认为道德是建立在相同价值关系上的文化传统，或者是素质，即德性伦理。另一种观点则认为现代社会建立相同价值观不大容易，道德演变成为一种工具伦理，即认为道德是适应现代社会生活的一种能力。长期以来，我们对少年儿童进行教育的时候，基本是强调德行的。我们依赖强势话语灌输，期望将一种高尚的价值和理念传递到少年儿童心目中，但却常常忽略道德能力本身的重要性。这不仅会遭到儿童情绪上的反抗，而且会自觉不自觉地塑造双重人格、两面作风的人。

第四是社会组织状况的变化。儿童从一个自然的人成长为一个社会的人，家庭和社会组织是关键。近20多年来，我们社会组织的变化是社会变迁的最重要的表现之一，它直接影响了人们的社会生活。影响少年儿童道德发展的社会组织变化有三个现实。一是组织生活政治色彩淡化。从正式组织的活动中我们可以看到，近年来，组织生活的政治色彩越来越弱，以至于人们从政治组织里得到的政治资讯越来越少，组织对于人们实际政治倾向的影响力随着社会变迁日趋减弱。青少年期是形成人生价值的最重要

的时期，社会组织在政治表达上的变化对一代青少年的发展会形成巨大影响。二是组织对成员思想意识控制减弱，关系趋向松散。在我们的社会中，关系日趋松散是社会组织内部结构变化的重要表现，以团队组织为例，随着社会多元意识形态环境的日趋突出，组织的宗旨、信念对组织成员的实际影响呈递减的态势。组织内部人员的凝聚力，特别是思想意识方面的聚合力也逐渐递减。这将直接影响我们思想政治教育的功效。三是基层多元的、非正式的组织活跃。基层组织活跃是社会发育进步的标志之一，同时也会在青少年的发展方面形成巨大影响。孩子们在实际生活中，在虚拟的网络世界，都会因兴趣爱好等个性化的因素形成不同的团体，这些团体往往会对孩子形成高于学校家庭的决定性的影响，有的不良社会团体还会影响一些未成年人走上犯罪道路。如何引导青少年非正式团体，是当前青少年工作不能回避的问题。

第五是教育观念和体制的变革。近年来，伴随知识经济的崛起，一场教育革命正在全球范围内掀起风暴。教育观念、体制的变革直接影响了各级各类教育，也对青少年道德教育提出了挑战。有六个重要的教育变革会影响到少年儿童道德教育。一是教育目标，从为社会培养合格人才到促进人的全面发展，前者以社会为本的，后者以人为本的。这实际上改变了在教育过程中教师与学生的位置，为社会培养人才，教师处于学生的对立面；推动人的全面发展，教育者必须站在被教育者一方，带领孩子们去寻找真理。二是教育的使命，从传授前人积累的知识到使人学会学习，获得持续发展的能力，以前是简单地把人类积累流传下来的道德信条用强势话语灌输的形式强加给被教育者，现在是要教会孩子们道德的自我发展能力，教会他们面对复杂的社会生活自我选择的能力。三是教育的特征，从集体化、标准化到个别化、个体化教育。现代学校教育是工业经济的产物，讲究的是标准化和批量生产，有一个前提，即相同年龄的孩子在发展上是基本一致的，可以用一个标准来考核测量，但现代社会的发展大大加快了青少年的多样化发展，而知识经济的崛起更对个体的创造性、个性化发展提出了

新的要求。四是教育的组织，从以课堂学科为基本体系到以问题为中心的跨学科结构。传统教育强调学科的完整性和学术体系，更多地将知识当成学问来做，而现代教育讲究培养实践能力，以问题为中心不仅融合了多学科知识，直接培养了学生综合运用各种知识解决实际问题的能力，而且调动了被教育者学习探索的积极性，推动了教育过程中受教育者主体性的实现。五是教育的思想基础，从一般性的人人享有受教育的权利到机会平等、过程平等、结果平等。真正实现三个平等，特别是过程平等的实现，需要在相当大的范围内实施教育改革。六是教育的途径，从以传授、读书为主到强调实践性过程、创造性过程。它不仅影响了教育的目标，也在大范围里改变了教育过程。

二、深刻检讨思想道德教育的误区

目前的未成年人思想道德教育实效性不强，在整体的思想道德教育过程中，受教育者的实际表现与教育者的预期不符，甚至相互对立，这种现象比比皆是。这就要求我们要正视思想道德教育的误区问题，以一种冷静、理性的态度和儿童发展的新视角，来认真检讨我们以往的道德教育。一般说来，青少年的思想道德教育工作存在三个误区。

第一，德育目标内容脱离青少年的实际。这主要表现在四个方面。标准的高深脱离青少年的实际生活：长期以来，我们习惯于用那些纯而又纯、高而又高的理念来对孩子进行教育，比如人民的利益高于一切，人要有高尚道德等，它是一种理念，跟实际社会市场经济带给人们的潜规则、跟孩子在实际生活中的所见所闻有距离，在孩子那里，标准的高深造成了道德教育和实际生活当中的两种状态；内容的抽象影响青少年的理解：我们习惯于把道德当成一种理念，这种理念和行为之间会有一定的距离。道德教育内容的抽象直接影响了孩子的道德习惯形成；单一的标准影响青少年多

样化发展：现代生活道德表现是多样化的，我们的道德教育往往是讲一个最高的标准，但是儿童每天看到的却是多样化的道德行为，有些道德行为是德育课堂反对而社会是大量存在并且被认同的，这在实际上就加剧了理念和行为的两面状态；道德教育与人格、心理塑造的分离：道德要解决的根本问题是个体、自我和外部世界的和谐关系的问题，这是道德的核心，这就不可能离开情绪、人格等心理品质。把道德教育简化成为一种规范和理念，违背了现代道德的根本特征，在实际生活中，一个人的道德往往表现在三个方面，一是价值，即什么是好，什么是坏；什么是应该提倡的，什么是应该拒绝的。这是一个人行为的基本准则，是做人的依据；二是行为模式，即用什么样的方式处理个人与外部之间的关系，特别是如何处理冲突；三是情感，即基本的情感认识和表达状态等等，三者是紧密相关的，是一个人道德发展的统一。

第二，德育形式、过程脱离青少年的主体性。主要表现在，传统德育以青少年为被塑造的客体：实际上传统的德育，是一种以社会为本的、将青少年视为被教育客体的思维，它必将直接面临青少年社会性发展的挑战；传统德育的方向、内容、目标主要不是从青少年出发：我们的德育计划大都不是根据孩子们的实际状况，特别是他们的需求，而主要是根据上级的精神，依据自上而下的要求，孩子想要的，需要回答的问题，往往不能成为教育的出发点和主题，这是一种很普遍的现象；忽视德育过程中青少年之间、青少年与教师之间的互动：成长需要伙伴，特别是道德发展是一种人际间的互动和作用的过程。相当多的情况下，现在的孩子成长过程基本上是孤独的，以灌输为主要形式的道德教育已经无法在大的程度和深度上引起儿童间的互动；青少年在德育过程中的低参与，甚至不参与。我们的活动中儿童是被动的，在话语灌输中，青少年是被动的，这是继造成了孩子远离道德教育的过程，但任何手段也无法割断青少年和现代社会种种不良因素之间的联系。孩子面对多元化社会，他必须具备价值选择能力和自我控制能力，而这种能力靠德育灌输是解决不了的。

第三，道德认识与行为的严重脱离。带有缺陷的道德教育，带来的是孩子道德发展上的问题。这些问题主要表现在三个方面。一是道德价值的虚化：给了儿童很多的道德价值，但很多时候这个价值是虚的，形成了两张皮；二是道德行为的社会化：儿童在现实社会中的行为受到社会流行价值的指引，呈现出社会化的特征，放贷、拍卖等社会经济行为在校园里比比皆是；三是道德能力上的多重挑战：社会不断变迁，新的道德领域不断出现，传统的道德信条越来越多地面临社会现实的挑战，而课堂上传递的道德理念越来越多地遭受到现实生活的非难，这就是孩子需要面对的现实。

三、改革未成年人思想道德教育工作的几点思考

胡锦涛总书记在全国加强和改进未成年人思想道德建设工作会议上强调要大力推动思想道德建设的改进创新。重点在充分体现时代性、准确把握规律性、大力增强实效性三个方面狠下功夫。要坚持求真务实，努力增强未成年人思想道德建设的时代感，认真研究未成年人思想道德建设中的新情况新问题，不断探索和把握未成年人成长的规律，针对未成年人思想道德建设方面存在的突出问题，开展有针对性的教育和引导活动。

改革未成年人思想道德教育，可以从以下六个方面思考。

第一，从未成年人成长发展需求出发，确立德育目标。在人的发展角度，下列六种能力特别重要，这也应是道德发展的重要方向。价值选择能力：要从小培养青少年独立理性地选择价值目标的能力；社会适应能力：培养儿童适应社会包括两个方面，一个方面是要培养孩子认同和接纳社会制度价值，这是一个儿童发展的前提，你生活在这个社会里，总是与这个社会最基本的东西格格不入，从个体来讲会发生适应不良，另一方面是对自然社会发展的适应，这种适应最重要的是帮助儿童学会学习；心理发展的能力：现代社会中，人的压力与挫折每日每时都会碰到，要教给孩子心

理调试的方法，培养作为社会个体抗拒压力和耐受挫折的能力；自我表现能力：其实是强调人的开放性，把内心与外部世界畅通地连接起来；生命力：高度创造力与持续发展倾向是一种积极的生存状态，是生命力的直接表现；社会性发展能力：主要是人际关系调解能力，对自己的认知和接纳、对他人的接纳和包容等等。另外，在青少年的道德教育中提倡祖国利益至上；在团体中发展健康个性；诚信守纪；创造发展中实现自我等价值范畴，也是改革德育目标的可供思考的角度。

第二，立足现实，挖掘传统。改革传统教育，首先要认识和纠正在传统教育中对传统的片面诠释，如重外在的物质性对比轻深层思想的描述、重抽象的伦理说教轻具体行为的指导、重对当时情境的再现轻现实感的反思等等。其次要挖掘传统民族文化中的现代元素，如以持续发展倾向为主要特征的生命力；以"和"、"和谐"为代表的人际关系调解能力；以强调解决自己问题的权利与个人在社会中的作为紧密相连的社会适应力；把人处于价值关怀的中心位置，提倡积极的人生态度的生存能力；认真思索、反省社会、人生价值目标的调整能力等。

在这方面，韩国的经验非常值得借鉴。在小学他们开设《正经的生活之道》，分为三部分，第一是个人生活，主要是端正、诚实、节制、创造、深思。第二是社会生活，主要是宽容、爱家庭、和睦、亲切、公益精神、责任意识、团结合作、公正。第三是国家生活，主要是三爱教育：爱国家，讲究忠诚；爱民族，讲究继承传统；爱人类，讲究和平。

第三，在道德教育中突出未成年人主体地位。可以从四个方面予以实现。一是围绕社会现实和儿童需求寻找教育主题，研究儿童成长的焦点、热点、矛盾点、发展关键等，要时刻研究儿童的需求，他们的需求是教育的主题；二是强调实践、体验、创造的过程，所有的德育过程，都要树立一个参与的观念，突出全员参与、全程参与，通过德育过程，给孩子创造一些角色，给他一些情景，把青少年真正放在道德选择的两难之中；三是提倡以问题为中心的教育组织形式，以问题为中心，给青少年一种问题状态，通过一个孩子自主寻求的活动，使孩子获得人际交往、信息获得表达等多种能力，同时充分调动儿童的能动性；四是建立多元化的评价体系，建立多元化的评价体系，涉及到儿童观和教育观念的变革，评"三好"提倡了一种成长方向和目标，但如果一个学习不好，而在其他方面有特长和优点的孩子，他就可能永远也进入不了主流评价体系，这对于今天儿童的多样性发展无疑是不利的。

第四，重视现代社会道德价值辨析。道德教育需要以变迁中的社会为背景，道德教育不能以过去的经验，或完全以传统的理念为依据，要不断研究社会现实，把变迁中的社会作为真正的学习课堂，选择孩子们面对社会的所思所想。同时还要敢于面对社会道德领域中新的挑战，社会的发展不断给道德提出新的问题，过去可能被认为不道德的行为，今天就可能得到承认和默许。道德教育要敢于面对挑战，接受挑战。"考试作弊为什么屡禁不止？""考试得了好成绩告诉竞争对手气气他对不对？"等问题，都是现实的，也是很难一下子说清的，要敢于引导孩子们去讨论，去认识。在教育活动中，要运用多种形式引导儿童进行价值辨析，这是在当代社会培养青少年选择能力的重要步骤。要帮助青少年面对社会的方方面面、多种信息，不断地进行思辨。一方面帮他们澄清很多混乱的价值，一方面培养他们选择能力。通过讨论、辩论等形式，如校园实话实说、班级模拟聊天室等，让孩子们自己去提出问题，分析问题，认识问题。强势的话语灌输不利于发挥青少年的主观能动性，要带领他们去寻找，创造条件帮助他们主动认识，在道德教育中充分发挥未成年人自主认知的功能。

第五，努力形成教育过程中的群体互动。对于目前我们的道德教育来说，在教育的指导思想上，需要把道德能力的培养作为道德教育的重要追求，重视良好道德情感的形成。同时还要充分运用成长小组的工作模式。所谓成长小组，就是5、6个人组成一个小组，少男少女共同组成，每一两周活动一个小时或者两个小时，彼此分享成长的快乐与苦恼。这是一个互动的小组，不是成人教诲青少年，而是青少年自己活动。通过这种群体互动，

使青少年学会在团体中生活，学会与人相处。

第六，把习惯养成当作道德教育的重点。要重视习惯的力量，对于一个孩子来说，养成良好的习惯，往往比仅仅知道一个道理，对其一生的影响更大。道德教育需要从习惯培养做起，特别是要从身边小事开始，运用奖惩与强化的方法，坚持训练，有步骤地培养习惯。习惯是培养出来的，重视一些小的细节，从点滴培养，才可能成就大人才。这中间特别需要重视学校、家庭的紧密配合，培养习惯，家庭的作用不可忽视，认真配合形成合力，才可能有成效。

作者单位：中国青年政治学院

廖 飞

对社会主义市场经济条件下加强青少年思想道德建设工作的几点思考

社会主义市场经济体制的建立和发展,给青少年思想道德建设提出了一系列新课题。能否妥善解决这些课题,关系到青少年思想道德建设的成效,关系到我国社会主义事业的前途和命运。我们必须从努力构建道德体系、积极营造长效机制、不断推进实践创新三方面进一步加强和改进青少年思想道德建设。

一、青少年思想道德建设面临的新课题

1. 市场经济对思想道德建设工作机制的影响

我国已进入全面建设社会主义小康社会的新时期。社会主义市场经济体制的建立和发展,既给青少年思想道德建设提供了前所未有的机遇,也提出了十分严峻的挑战。

（1）整合社会资源的渠道和手段多样化

计划经济时代主要依靠行政手段和单位动员方式获得工作资源。在市场经济条件下,社会资源配置方式发生了根本的变化,市场在配置资源中

起基础性作用。必须突破单纯依靠行政手段获取工作资源的思路，按照社会化、市场化思路建立社会资源整合机制。

在社会主义市场经济条件下，青少年思想道德建设必须更多地注重运用市场机制，减少行政命令和单位动员方式，使获取资源的途径和手段多样化。一方面要继续强化党委支持、政府出经费、有关部门出政策、群团组织具体实施的工作机制。另一方面要加强与企事业单位和其他社会组织的合作，通过广泛的合作，有效地调动和运用各种社会资源为我所用，丰富获取资源的途径和手段，形成互惠双赢的合作机制。

（2）思想政治工作的进一步科学化

思想政治工作必须科学化，这是中国共产党思想政治工作的重要历史经验之一。思想政治工作不仅以人的政治思想为研究和工作对象，而且要涉及到人的生理、心理、情感及社会生活的各个方面，是一项艰巨而复杂的社会活动。

传统的思想政治工作理论主要来自革命和建设年代的实践，带有相当浓厚的经验色彩。思想政治工作被视为科学，但更被当作需要长期积累经验才能掌握的艺术。相当一部分思想政治工作者主要依赖主观经验和个人灵感开展工作。面对市场经济条件下纷繁复杂的情况，思想政治工作面临从"经验型"向"科学型"的转化。

在社会主义市场经济条件下，思想政治工作科学化取得了丰硕成果，互联网等科技手段已经进入思想政治工作领域。同时也要看到，思想政治工作在思想观念、内容形式、方法手段等方面还有许多与时代要求不相适应的地方。必须加大思想政治工作的科学含量，促使思想工作方法从经验型向科学型转变，从单向灌输型向双向交流型转变，从显性向显性和隐性相结合转变。

2. 青少年思想状况呈现新的特点

随着社会主义市场经济体制的确立，经济社会发生着日新月异的变化。

这些变化必定会折射到未成年人身上，使青少年的思想观念发生新的变化。

(1) 价值取向多样化

经济成分和利益主体的多样化，导致青少年的价值取向日益多样化。价值取向的多样化，又导致世界观、人生观的多样化。市场经济增强了青少年在社会活动中的利益意识，价值取向趋于务实，主张等价交换，功利主义成为相当普遍的价值观。如果缺乏正确引导，就会导致重利轻义倾向，导致拜金主义、享乐主义的滋长蔓延。

(2) 竞争意识增强

社会主义市场经济有利于培养竞争意识，这对经济的发展和青少年才能的发挥有重大的推动作用。但另一方面也会产生一些消极影响，特别是在市场体系不完善、法制不健全时，这些消极影响更为严重。一些青少年社会责任感和义务感淡化，只关心自己眼前的利益，无视公众利益，容易产生利己主义、个人主义和本位主义。

(3) 集体主义观念淡薄

把个人主义混同于个人利益，集体主义混同于集体利益，认为市场经济就是提倡个人主义，排斥集体主义。表现为个人主义和自由散漫，集体主义观念淡薄。在处理个人利益与集体利益的关系时，只强调个人利益，甚至为了个人利益不惜危害集体利益。

(4) 道德准则"失范"

计划经济时期形成的传统思想观念已经开始失去影响，适应社会主义市场经济的新的道德规范又没有完全建立起来，因而各种思潮相互激荡、各种诱惑纷至沓来、各种压力不期而遇，人们对是非善恶的评价也没有完全形成统一的认识，道德标准混乱，是非界线模糊，导致道德准则的"失范"，使青少年感到困惑。

二、努力构建思想道德体系，积极营造长效工作机制

1. 努力构建有时代特色的青少年思想道德体系

改革开放以来特别是党的十三届四中全会以来，党中央高度重视青少年的培养教育，相继做出一系列重要部署。例如，党的十四届六中全会对当代中国的道德体系做出比较完整的概括；《公民道德建设实施纲要》进一步提出了基本道德规范；今年中央又先后制定和发表了加强大学生和未成年人思想道德建设专门文件。上述文件对构建有时代特色的青少年思想道德体系提出要求，概括起来主要有：

（1）马克思主义的科学理论。马克思主义理论既是青少年思想道建设的指导思想，又是青少年思想道德建设的基本内容。进行思想道德建设，必须坚持和发展马克思主义。当前，要坚持以马克思列宁主义、毛泽东思想、邓小平理论和"三个代表"重要思想为指导，深入贯彻十六大精神，全面落实《爱国主义教育实施纲要》、《公民道德建设实施纲要》。

（2）社会主义的理想信念。理想信念是青少年思想道德建设的核心内容。在当代，社会主义的理想信念教育就是要引导广大青少年树立建设中国特色社会主义的共同理想和信念，积极参与全面建设小康社会的伟大事业，把我国建设成为富强、民主、文明的社会主义现代化国家。

（3）以为人民服务为核心、以集体主义为原则的社会主义道德。为人民服务是社会主义道德的集中体现，集体主义是社会主义道德的本质属性，社会公德、职业道德和家庭美德是道德实践的三个主要领域。青少年要自觉做到爱祖国、爱人民、爱劳动、爱科学、爱社会主义，形成团结互助、平等友爱、共同前进的人际关系，不断提高自己的道德境界，逐步养成高尚的道德品质。

（4）一系列反映现实社会发展要求的思想道德观念。社会主义市场经济的发展和完善要求相应的道德规范的支持，要求我们与时俱进地提炼出反映市场经济要求的新的道德规范。因此，青少年思想道德体系还应包括这样一些新内容：民主法制观念和纪律观念，勤劳致富的观念，自主自立的观念，环保生态伦理观念，等等。

2．营造青少年思想道德建设的长效机制

（1）完善青少年思想道德建设的组织机制

①加强机构建设。整合社会资源，形成党委统一领导、党政群齐抓共管、文明委组织协调、有关部门各负其责、全社会积极参与的领导体制和工作机制。加强学校、社会、家庭的教育联动，使学校教育、家庭教育和社会教育相互配合，相互促进，形成职责明确、齐抓共管、覆盖全社会的工作机制。

②加强队伍建设。充分调动社会各方面积极性，形成一支专兼结合、素质较高、人数众多、覆盖面广的青少年思想道德建设工作队伍。着力建设好中小学及幼儿园教师队伍，青少年宫、博物馆、爱国主义教育基地等各类文化教育设施辅导员队伍。同时注意发挥老干部、老战士、老专家、老教师、老模范等"五老"队伍的积极性。

（2）完善青少年思想道德建设的动力机制

①动力激发机制。激发思想道德教育工作者和公民参与思想道德教育活动的积极性和内在需求，保持青少年思想道德建设的持久动力。例如：制定和完善规章制度，调动教师的工作积极性与责任感；加强教师职业道德建设，以广大教师的高尚情操引导学生德、智、体、美全面发展。

②道德奖惩机制。制定和推行行为规范，为青少年参与思想道德建设活动创造外部动力和心理基础。例如，依据不同年龄段学生的特点，修订和完善中小学生《守则》和日常行为规范，引导青少年自觉遵纪守法。

（3）完善青少年思想道德建设的保障机制

①法规制度保障。一方面加强制度建设，完善实施思想道德教育的规章制度。健全班主任制度，使学校德育工作进一步制度化、规范化。另一方面加强法制建设。例如，建立和完善保障进城务工就业农民子女接受义

务教育的工作制度；按照《中华人民共和国青少年保护法》等法律法规的要求，做好青少年保护工作。

②加强工作设施建设。各级政府要保证公益性青少年校外活动场所建设和运行所需资金，并列入经济和社会发展规划。制定优惠政策，鼓励、支持社会力量兴办青少年活动场所，形成政府财政、企事业单位、群众团体和个人等多渠道的共同投入机制，使思想道德建设有坚实的经费及物质保障。

三、不断推动青少年思想道德建设的实践创新

青少年思想道德建设要与时俱进，必须在借鉴吸收以往实践经验基础上，不断在内容形式、方法手段等方面探索创新，推动思想政治工作的科学化。

1．科学地确定青少年思想道德建设的内容。一是避免德育目标过于理想化，忽视个体的内心需要。孔子认为，"子贡赎人"式的"无私道德"会使道德变成只说不做的东西，成为纯粹的高调。因此，不能简单地将"道德"与充满自我牺牲精神的"无私利他"划等号，使青少年觉得道德遥不可及。二是按照贴近实际、贴近生活、贴近青少年开展活动。要避免远离青少年日常生活，造成道德的漂浮无根状态。可以通过评选三好学生、先进集体等活动，为青少年树立可亲、可信、可敬、可学的榜样，让他们从身边榜样的感人事迹和优秀品质中受到鼓舞、汲取力量。三是德育内容要体现出明显的层次感。不能只强调中高层次目标而忽视基础层次目标。青少年思想道德建设应侧重"唤醒责任"，兼顾"宣扬崇高"。在小学主要进行公民教育，在中学主要开设宪法、政治制度等课程。

2．丰富青少年思想道德建设的有效载体。青少年思想道德建设发展的新态势，要求我们创造覆盖面广、能承载更多思想信息、便于操作的载体。一是充分利用电视、报纸、互联网等大众传媒载体。利用大众传媒生

动形象、方便快捷、覆盖面大的优点，通过道德教育进网络、进电视等方式，发挥好大众传媒的舆论先导作用。二是不断创造校园文化、家庭文化等新的青少年文化载体。文化载体具有渗透性和延展性，可以增强思想道德教育的吸引力。要通过校园歌手大赛等文化活动，营造积极向上的文化氛围，引导青少年文化潮流和风气。三是创建丰富多样的活动载体。活动载体包括节庆活动、参观访问，以及群众性的精神文明创建活动。通过"青少年网络文明行动"、"手拉手"等活动载体，潜移默化地进行青少年思想道德教育。

3．开展生动活泼、特色鲜明的实践教育活动。要按照实践育人的要求，以体验教育为基本途径，开展内容鲜活、形式新颖、吸引力强的道德教育实践活动。一是利用重大历史事件纪念日，历史人物的诞辰和逝世纪念日，以及青少年入队、入团、成人宣誓等有特殊意义的重要日子，通过班会、队会、团会举行各种庆祝、纪念活动和必要的仪式，引导青少年弘扬民族精神，增进爱国情感，提高道德素养。二是把深刻的教育内容融入到生动有趣的课外活动之中，充分发挥各类博物馆、纪念馆、展览馆、烈士陵园等场所对青少年的教育作用，通过夏令营、红色旅游以及各种参观、瞻仰和考察活动，用祖国大好风光、民族悠久历史、优良革命传统和现代化建设成就教育青少年。

4．重视青少年思想道德教育方法的理论创新。我国传统的德育模式以对学生进行全面、直接的理论"灌输"为主，通过课堂讲授使学生理解和熟记德育内容。这种模式的优点是易于将道德规范全面、系统地传输给受教育者。它的缺点也是十分明显的，由于方法单一，过于偏重训导式教育，因而脱离受教者的个体需要。我们要注意从心理学、社会学、哲学、逻辑学、管理学等学科中吸取营养，加强对青少年和青少年工作的研究，做到把握规律性、体现时代性、富有创造性，用科学的理论指导青少年思想道德建设实践，推动学校、家庭、社会共同做好青少年思想道德教育工作。

作者单位：共青团贵州省委

阿 旺

在未成年人中大力弘扬和培育民族精神

民族精神集中地表现着一个民族正确的世界观、人生观、价值观，以及所遵循的正确的思维方式和行为方式，它必须为本民族绝大多数成员所认同，才能成为促进本民族社会发展的强大动力。一个国家、一个民族，如果没有民族精神作为精神支柱，就等于没有灵魂，就会失去凝聚力和生命力。以爱国主义为核心的团结统一、爱好和平、勤劳勇敢、自强不息的伟大民族精神，是中华民族几千年来在认识和改造世界的过程中逐渐形成的，反映了各族人民的精神理念和价值选择。为此，我们必须充分认识到，弘扬和培育民族精神是加强和改进未成年人思想道德工作的着力点和重点，在新的形势下，必须高度重视，认真实施，抓紧抓实。

一、从战略全局的高度，充分认识弘扬和培育民族精神的重要意义

《中共中央国务院关于进一步加强和改进未成年人思想道德建设的若干意见》深刻地指出，要从增强爱国情感做起，弘扬和培育以爱国主义为核

心的伟大民族精神。在西藏广大未成年人中大力弘扬和培育民族精神，具
有重要战略意义。

1. 是培育中国特色社会主义事业合格建设者和可靠接班人，确保党和
国家事业后继有人的必然要求。西藏今天经济发展、社会稳定、文化繁荣、
边防巩固、人民安居乐业的大好局面，是几代人不懈奋斗的结果。现在的
未成年人，几年十几年后就是中国特色社会主义事业接班人，他们将承担
起在我区开创中国特色社会主义新局面，推动"西藏在中国四个现代化建
设中走进前列"宏伟目标实现的历史重任。把弘扬和培育以爱国主义为核
心的伟大民族精神作为我区未成年人思想道德建设的重要内容，对于培养
和造就千千万万具有高尚爱国主义情操的接班人，确保几代人为之奋斗的
伟大事业代代相传，生生不息，确保西藏在祖国大家庭里沿着中国特色社
会主义的道路前进，具有重要的战略意义。

2. 是提高全区各族人民整体素质，全面建设小康社会的必然要求。在
西藏这样一个边疆少数民族地区，爱国主义在公民整体素质中占有极其重
要的地位。提高全区各族人民整体素质，其中一个重要的任务就是弘扬以
爱国主义为核心的伟大民族精神。目前，我区18岁以下未成年人占总人口
的近三分之一。他们的思想道德状况如何，不仅直接关系到现阶段全区人
民的整体素质，而且关系到我们民族未来的素质，关系到西藏的前途和命
运。只有从未成年人抓起，培养和造就成千上万高素质的合格建设者，我
们才能紧紧抓住本世纪头20年重要战略机遇而有所作为，才能实现全面建
设小康社会的宏伟目标，为中华民族的伟大复兴做出我们应有的贡献。

3. 是坚持执政为民，维护人民群众根本利益的必然要求。在西藏，维
护人民群众的根本利益，就是要坚决反对分裂，坚决维护祖国统一，加强
民族团结。在未成年人中大力弘扬和培育以爱国主义为核心的伟大民族精
神，是反对分裂，维护祖国统一和民族团结的根本措施。贯彻"三个代表"
重要思想，立党为公，执政为民，就是要把广大人民群众的切身利益放在
首位。未成年人的健康成长，牵动着千万个家长的心，关系到几乎所有家

庭的幸福，关系到社会的和谐与安定。把弘扬和培育以爱国主义为核心的伟大民族精神贯彻到未成年人思想道德建设中去，得民心，顺民意，体现了我们党立党为公、执政为民的本质要求。

4.是深入开展反分裂斗争的迫切需要。在西藏，分裂与反分裂的斗争，从来没有停止过。达赖作为西藏分裂主义势力的总头目，在以美国为首的西方敌对势力支持怂恿下，几十年来，从未放弃过西藏独立的政治幻想和分裂图谋。

进入"后达赖时期"，斗争仍在继续并呈现出新的特点。随着我国综合国力日益增强，国际地位不断提高，达赖集团内部分化加剧，达赖的危机感增加。达赖集团调整策略、变换手法，在暴力和"非暴力"、推进"西藏问题"国际化与"接触商谈"方面玩弄"两手"，向我挑战，以求在"西藏独立"上取得进展。他们一方面频频要求派代表回国进行"接触商谈"，力图推动所谓"实质性谈判"；另一方面达赖频频到西方国家借讲经传法、会见政要，兜售其分裂主张，同时，达赖集团组织的各种分裂破坏活动也从未停息。达赖集团不甘心政权的丧失、不甘心失败，与我们反复斗争、反复较量，就是妄图推翻党的领导、推翻社会主义政权、推翻民族区域自治制度。这场斗争是长期的、尖锐的、复杂的，我们绝不能掉以轻心。尤其值得警惕的是，达赖集团为了培养分裂主义接班人，把魔爪伸向广大青少年。

当前，热爱祖国、反对分裂、积极向上、团结友爱、文明礼貌是我区当代未成年人精神世界的主流。但是，由于广大未成年人所处的特殊年龄阶段，又没有经历过旧西藏的苦难，在分裂主义势力反动思想渗透面前，极少数青少年对达赖集团的反动本质认识模糊，有的甚至受骗上当。在广大未成年人中大力弘扬和培育以爱国主义为核心的伟大民族精神，是反分裂斗争的迫切需要。只有深入开展民族精神教育，才能打牢反分裂斗争的思想基础，挫败达赖集团培养分裂主义接班人的险恶用心。

二、立足西藏实际，在广大未成年人中大力弘扬和培育民族精神

1．**弘扬和培育民族精神，必须与反分裂斗争的实际紧密结合。**如何在我区广大未成年人中进一步弘扬和培育以爱国主义为核心的伟大民族精神，打牢反分裂斗争的思想基础，培养合格的中国特色社会主义事业建设者和接班人，是我区未成年人思想道德建设面临的一个十分尖锐的课题。要解决好这个课题，就要把弘扬和培育民族精神与反分裂斗争的实际紧密结合起来。在广大未成年人中广泛开展西藏自古以来就是中国神圣领土不可分割的一部分教育，开展"西藏独立"是近代以来帝国主义侵略中国的产物的教育，尤其要开展反分裂斗争教育，帮助广大未成年人认清十四世达赖的反动本质。十四世达赖披着"宗教"的外衣，打着"民族"的旗号，对于未成年人具有很大的欺骗性。我们一定要联系十四世达赖的所作所为，揭露他的反动性。

十四世达赖的反动性，表现在他披着宗教的外衣，打着"西藏人民代言人"的旗号，投靠国际反华势力，顽固坚持"西藏独立"的反动立场，从事分裂祖国的罪恶活动。反祖国、反人民、反社会进步，是十四世达赖反动性的集中表现。

十四世达赖的所作所为，充分说明了他是图谋"西藏独立"的分裂主义政治集团的总头子，是国际反华势力的忠实工具，是在西藏制造社会动乱的总根源，是藏传佛教建立正常秩序的最大障碍。

我们一定要把事实向广大未成年人讲清楚，同时大力开展民族精神教育，使中华民族精神在他们的心灵中扎根，彻底挫败达赖集团培养分裂主义接班人的图谋。

2．**弘扬和培育民族精神，要努力构建新形势下未成年人思想道德建设的德育模式。**在我国至今还没有真正被德育理论界和教育界公认的有一

定代表性的德育模式确立起来，"模式"一词源于拉丁文（modus），意思是与手有关的定型化的操作样式，它最初只是指对操作过程的经验性的概括，以后这一词上升到更抽象的意义，一般通用为"方式"。它是一般原理与具体条件相结合，原理的共性与具体的个性相结合而形成的活动结构的活动形式。"模式"可以更有效地帮助人们进行工作，提高工作质量和效率。我们要努力建立德育模式的目的也在于此。

我国建国以来思想道德教育工作受政治运动干扰，摇摆较大。曾出现过德育途径单一化、片面性的倾向。强调政治运动，就以运动替代德育；强调劳动重要，就以劳动压倒一切；强调业务，就以智代德。这些片面的做法，都是不利于充分发挥各种途径的作用。人的品德是多种多样的，品德结构又十分复杂，要把未成年人培养成为有理想、有道德、有文化、有纪律的社会主义新人，靠单一的德育模式、途径是完不成的，必须采用多种方式实施德育，才能产生最佳德育效果。通过多年来的实践，我们认识到可以采用且有效的德育模式有：在中小学中采取各科教学德育模式，主要挖掘各科教学内容的内在思想性对学生进行德育；社会实践德育模式，强调德育以实践为基础，注重引导未成年人积极参加社会实践活动，形成高尚的品德；组织活动德育模式，通过党团组织、少先队组织、学生会、社团组织开展的课内外、校内外活动进行德育；社会德育模式，强调通过社会教育机构、社会舆论、社会交往施加德育影响；家庭德育模式，强调家庭是学校德育和社会德育的基础，是塑造人们灵魂的第一个环节。只有通过实现科学的创造和发展，促进对各种德育模式的探索，同时，学习研究国外现有的比较成熟的德育模式，如道德认知发展模式、社会学习德育模式、人本主义德育模式、价值澄清模式、体谅德育模式、品德教育教程模式等，中体西用，努力形成具有我们自己特色的，包含着理论指导、活动的结构与程序、实施原则、操作要领等诸因素统一结合构成的德育模式，才能使对未成年人思想道德建设真正达到有针对性和实效性。

在我区未成年人中大力弘扬和培育民族精神，必须多管齐下，运用多种方式，最终达到培养热爱祖国，有理想、有道德、有文化、有纪律的社会主义事业接班人的目的。首先必须发挥课堂教学的主渠道作用，把弘扬与培育民族精神贯穿于课堂教学的各个环节。这种方式或者叫模式，是必须坚持的。以民族精神培养和教育下一代，是学校教育和教师义不容辞的责任，是我们的教育方针决定的，也是培养未成年人爱国主义精神的主渠道。其次，必须坚持实践育人，把弘扬和培育民族精神贯穿于未成年人的实践活动之中。要精心设计活动载体，引导未成年人在活动中体会到民族精神的重要和伟大，陶冶未成年人的道德情操，提升他们对祖国的热爱。以上两种方式，可概括为课堂灌输模式和实践体验模式，这两种模式，体现了理论与实践的结合，必须坚持不懈地进行下去。

3. 弘扬和培育民族精神，必须把大力弘扬爱国主义精神作为核心。爱国主义是民族精神的核心，体现了人们对自己祖国的浓厚感情，始终是动员和鼓舞人民团结奋斗的一面旗帜。千百年来，中华民族之所以能够历经磨难而不衰，饱尝艰辛而不屈，千锤百炼而愈加坚强，靠的就是强大的爱国主义精神。五千多年的中华民族史告诉我们，中华民族的兴衰，中华民族凝聚力的强弱，除了物质因素的作用外，思想文化因素是很重要的。在一定情况下，思想文化因素特别是作为民族凝聚力思想核心的民族精神是否得到弘扬，对中华民族凝聚力起着关键作用。在中国历史上，每当国难当头，民族处于生死存亡的重要关头，以爱国主义为核心的伟大民族精神，便成为激励中华儿女力挽狂澜、战胜强敌的精神火炬。在全面建设小康社会、加快推进社会主义现代化的进程中，弘扬以爱国主义为核心的民族精神是推进改革发展的重要基础，是提升综合国力的有力保证。爱国主义要求保持国家主权和领土完整，维护祖国统一，反对民族分裂，强调坚持国家利益第一、民族整体利益第一。在新的历史条件下，弘扬以爱国主义为核心的中华民族精神，就要教育和引导未成年人，拥护中国共产党的领导，维护社会主义制度，树立为中华民族伟大复兴而努力拼搏的理想信念；就需要以公民道德实施纲要为重点，引导未成年人树立马克思主义祖国观、

民族观、宗教观、文化观，坚持正确的世界观、人生观和价值观，在遵守公民基本行为准则的基础上，追求更高的思想道德目标。

在西藏，坚持以爱国主义为核心，弘扬和培育民族精神，就是要弘扬西藏人民反对分裂的民族精神。在祖国历史发展过程中，西藏人民为祖国统一大家庭的形成和发展做出了不可磨灭的贡献。特别是近代以来，西藏人民坚决反抗外敌侵略，誓死捍卫祖国的主权和领土完整，谱写了光辉的篇章，成为中华民族伟大民族精神的重要组成部分。

西藏人民不畏强敌，反抗侵略，敢于牺牲，维护祖国统一的精神，是我们对未成年人进行爱国主义教育的宝贵精神财富，我们一定要用好这笔财富，并发挥光大，使之成为反分裂斗争的强大思想武器。

4．弘扬和培育民族精神要坚持继承和创新相统一的原则。我们既要继承和发扬中华民族的优秀传统，又要结合时代的特点和需要，与时俱进，开拓创新，为民族精神增添新的内容。培育民族精神是一项长久的综合性系统工程，既要继承弘扬优秀文化传统，又要立足改革开放和现代化建设的实践，着眼世界文化发展前沿，汲取世界各民族有益精神成果，丰富和发展民族精神。传承中华美德，培养民族精神，是加强思想道德建设的一项极为重要的任务。在新的历史条件下，继承中华民族几千年形成的传统美德，发扬党领导人民在长期革命斗争与建设实践中形成的优良传统，借鉴世界各国道德建设的成功经验和先进文明成果，对形成追求高尚、激励先进的良好的社会风气，保证社会主义市场经济的健康发展，促进整个民族素质的不断提高，全面推进建设中国特色社会主义伟大事业具有十分重要的意义。我们必须取其精华、去其糟粕，并结合时代和社会发展的要求，注入新的内容，使之不断丰富和发展。我们党领导全国人民在中国革命和社会主义建设中，形成了延安精神、红岩精神、"两弹一星"精神、抗洪精神等，极大地丰富和发展了民族精神的内涵。我们要充分利用这些宝贵资源，对未成年人进行教育。同时，要教育和引导未成年人正确认识世界、了解世界，吸收世界一切优秀文明成果。

在党的领导下，在西藏和平解放、民主改革和社会主义建设中，涌现出了许多高尚精神。如"特别能吃苦、特别能战斗、特别能忍耐、特别能团结、特别能奉献"的"老西藏精神"，全心全意为西藏各族人民服务的孔繁森精神，等等。我们都要把这些精神与弘扬和培育伟大民族精神结合起来，与改革开放、开拓创新的时代精神结合起来，增强民族精神教育的时代气息。

5．培育和弘扬民族精神，要坚持民族性和世界性相结合。既要充分发扬中华民族的优秀文化传统，又要面向世界，善于借鉴和汲取其他民族的先进文化成果。当前在意识形态领域的斗争将更加激烈情况下，东西方文明的排斥和融合对人们的世界观、人生观、价值观形成强大冲击。西方敌对势力变换花样对我实行"西化"、"分化"的政治图谋，致使许多腐朽陈旧的东西借机滋生蔓延，甚至像"法轮功"这样的邪教组织甚嚣尘上，毒害人们的灵魂。面对意识形态领域的强劲挑战，中国共产党及其领导的中华民族，必须高举民族精神的旗帜，坚定不移，用崇高的精神武装起来，奋力在国际国内大竞争中发展壮大自己。正如黑格尔所说：民族的宗教、民族的政治制度、民族的伦理、民族的法制、民族的风俗以及民族的科学、艺术以及技能，都具有民族精神的标记。这就要求我们在进行民族精神教育时，既要弘扬中华民族的优良传统，又要汲取世界上其他民族的优秀成分，把二者有机地结合起来。

6．弘扬和培育民族精神要坚持知情同一、知行统一。在教育实践活动中，我们既要使未成年人了解和准确把握民族精神的实质和表现形式，又要注重未成年人的情感体验和生活实践。要充分认识到世界范围各种思想文化的相互激荡，西方敌对势力对我实行"西化"、"分化"和争夺下一代的图谋，面对全面建设小康社会的宏伟目标和实现中华民族伟大复兴的历史重任，面对日益开放的环境和发展社会主义市场经济的新要求，在未成年人中开展弘扬和培育民族精神教育，对不断增强他们对民族优秀文化的认同和自信，振奋民族精神，凝聚民族力量，具有十分深远的历史意义

和重大的现实意义。要把弘扬和培育民族精神作为加强思想道德建设和全面推进素质教育的一项重要任务，贯穿于学校教育的全过程，落实在学校教育的各个环节。要结合学校德育课程改革，充实和强化传统美德和民族精神教育；把传统美德和民族精神教育有机地渗透到各学科教学中去，纳入学生日常行为习惯和道德品质的培养过程中。将弘扬民族精神的教育由浅入深、坚持不懈地贯穿到幼儿园、小学、中学和大学教育的全过程。要充分利用现代多媒体技术，选择有震撼力的教育活动，给学生留下终身难忘的教育效果。要充分运用重要纪念日、重大历史事件、重大活动、节假日以及学生第二课堂、社会实践基地等多种形式，广泛开展学生喜闻乐见的中华传统美德和民族精神教育活动。

7. **弘扬和培育民族精神，要努力营造良好的教育氛围和社会氛围**。在未成年人中弘扬和培育民族精神，首先学校教育担负着重要职责，要发挥课堂教育主渠道的作用，把民族精神教育的内容分解、贯穿到学校德育、历史、语言文字等各学科课堂教学之中。通过日常的养成教育，让学生了解、熟悉、接受民族精神，并使之成为世界观、人生观的重要组成内容。在广大未成年人中弘扬和培育民族精神，更需要全社会的关注和努力。我们人文社会科学者眼睛要向下，大学者要多写小丛书，多写普及文章，把民族文化中的精粹向民众，向未成年人传播、普及，为弘扬和培育民族精神尽自己的力量。要加强民族精神宣传教育工作的领导，各级党委、政府要真正把弘扬和培育民族精神作为文化建设极为重要的任务，摆上议事日程，采取有力措施，认真加以落实。要充分发挥工青妇、文化教育等部门的作用，互相协调，互相衔接，互相配合，形成齐抓共管的局面。要始终坚持以马列主义、毛泽东思想、邓小平理论和"三个代表"重要思想为指导，胸怀民族大计，保持民族气节，增强民族情感，树立民族自豪感、自信心。要大力倡导一切有利于爱国主义、集体主义和社会主义的思想和精神，大力倡导一切有利于改革开放和现代化建设的思想和精神，大力倡导一切有利于民族团结、社会进步、人民幸福的思想和精神，不断地弘扬民族正气，振奋民族精神。要积极提倡和扶持弘扬民族精神各类文艺作品的创作，发挥文艺在弘扬和培育民族精神中的特殊作用。江泽民同志说："文艺是民族精神的火炬，是人民奋进的号角，在弘扬和培育民族精神方面，文艺可以发挥独特的作用。"由此可见，文学艺术具有感染人、启发人、教育人、鼓舞人的巨大作用。一部优秀的文艺作品，能够打动观众的心灵，产生震撼人心的教育作用，焕发人们高度的爱国激情。要通过评奖等多种手段，鼓励和引导广大文艺工作者，努力创作一大批唱响主旋律、弘扬民族精神的精品力作，把全民族的精神振奋起来。

8．弘扬和培育民族精神要开展综合实践活动，使未成年人在实践中体验、培育民族精神。综合实践活动是弘扬和培育民族精神的重要途径。我们要善于运用研究性学习等新的教学模式，做到课内与课外相结合，教育与实践相结合，学校与家庭、社会相结合，组织与领导学生开展形式多样的实践活动。如"追寻先烈的足迹"、"家乡的巨变"等，让学生在活动中将民族精神内化为自身的精神品格。深化"雏鹰争章"活动，引导广大青少年学生积极参与社区两个文明建设。我们要整合各类资源，采取多种模式，大力加强社区青少年活动阵地建设，探索并运用青年文明社区网络信息化服务机制和社区青少年活动参与评价机制，不断创新社区青少年工作的组织方式、服务方式、活动方式和工作机制。同时，应该把"假日小队"长期坚持下去，让学生在活动中受大教育，在实践中体会民族精神。

从现代意义上看，一个民族、一个国家需要勤劳勇敢、刚健有为、自强不息的创新精神，它体现的是拼搏精神、进取精神和竞争精神，是一个国家综合国力得以提升的关键所在，更是一个民族在当今世界格局多极化和经济全球化的环境下立于不败之地的重要保证。因此，我们在实际的教育工作中，在未成年人中坚持弘扬和培育民族精神，不仅是思想道德建设的一项重要内容，也是一个民族、一个国家开拓创新，不断前进的不竭的动力。

作者单位：共青团西藏自治区委

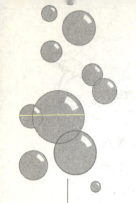

吕卫华

青少年弱势群体现状与中国青少年政策的调整

青少年在我国人口中占有很大比例，在社会进步、经济发展与文化变迁的社会转型时期，正在形成一个青少年弱势群体。如何保障青少年弱势群体生存与发展的权益，不仅是青少年工作的难点、学术界讨论的热点和全社会关注的焦点，更应成为青少年政策调整的方向和指针。

一、青少年弱势群体的界定

改革开放与社会转型使我国的各种社会关系发生深刻的变化，社会成员处于分化、定位与整合的过程中。作为改革开放与社会转型的代价，"弱势群体"开始浮出水面，与此同时，青少年弱势群体也在逐步形成之中。

"弱势群体（vulnerable groups），指由于自然、经济、社会和文化方面的低下状态而难以像正常人那样去化解社会问题造成的压力，导致其陷入困境、处于不利社会地位的人群或阶层；在社会变迁的进程中，这个群体是社会援助的对象，是社会福利的接受对象。"

从以上定义可以看出，弱势群体具有如下三个基本特征：第一，它的

成因受各种因素的制约，既可能是客观的或自然的，有明显的生理特征；也可能是主观的或人为的，可以从文化和社会性角度进行界定。第二，它是一个相对于社会强势群体或正常群体的概念，一般来说，那些被排挤于主流文化生活之外和低于社会认可一般水平之下的人群都可以宽泛地界定为弱势群体。第三，贫困性是当前我国弱势群体在经济利益上所面临的共同困境，从而决定着弱势群体的生活质量低下和心理承受力的脆弱性。

"在社会总体人群划分上，青少年总体是一个社会弱势群体，需要成人社会、政府、社会团体予以特殊的保护；在人的发展阶段性角度上，青少年是未成熟的人、正在发展中的人、需要特别帮助的人等等。"正是由于青少年自身的社会性特征，使得其本身具有天然的弱势性。我们认为，青少年弱势群体是指由于生理性、社会性等种种原因，在经济收入、社会位置、权益实现、竞争能力等方面处于相对不利或比较劣势境况的青少年。从一定意义上讲，青少年弱势群体是一个相对的概念，他们是在参与社会权益分配和社会资源支配中处于相对劣势的青少年群体。

二、青少年弱势群体的现状分析

关于我国青少年弱势群体的划分，陆士桢、宣飞霞在《关于中国城市青少年弱势群体问题的研究》中认为，中国城市青少年弱势群体大致可以包含以下几类人："四无"青少年（指"无家可归、无生活来源、无劳动能力、无法定义务抚养人"的青少年；残疾青少年；城市贫困家庭的子女；高校贫困生；下岗失业青年。我认为大体可以包含下面几类人：

1. **失学青少年。**失学青少年是指在九年制义务教育阶段中途辍学的青少年。目前，我国初中入学率达90%。虽然国家不断加大教育经费的投入，仍然有约10%的青少年不能完成九年制义务教育。10%看似很小，而在人口基数庞大的我国，绝对值非常惊人。《人民日报》的一则新闻曾披露，

目前我国共有约4,000万青少年学生因家庭经济困难不能入学或难以为继，其中，九年制义务教育阶段就有3,400万。

2．失业青年。失业青年是指与企事业单位已经解除关系的青年和未能及时就业的"待业"青年。世界大多数国家把16—65周岁的人口定义为劳动年龄人口，而中国规定男性16—60周岁、女性16—55周岁为劳动年龄人口。因此，我国劳动人口的最低年龄为16周岁。以这个角度来说，就业是青年时期的重要任务、生活内容和生存方式；因而，青年能否顺利就业是衡量青年发展的重要指标。随着新增劳动力源源不断地涌入社会，而新增劳动力需求则在下降，中国的就业形势越来越严峻。据《南方周末》引述中国社会科学院2002年度《人口与劳动绿皮书》的信息，"中国城镇的实际失业率已达到7%的警戒线"。而这其中，青年占了二分之一强。青少年初涉社会，对人生满怀憧憬与希望，而失业状态对其生活境遇、心理调适、社会行为的负面影响大大超过其他人群，造成对青年自身和社会的双重危害。

3．家庭贫困青少年。在当今世界贫困人口规模庞大、贫困人口生活处境日趋恶化的背景下，我国农村的扶贫开发取得了显著成效。尽管如此，农村贫困人口依然有一定规模，农村贫困家庭的绝对数字仍然不令人乐观。农村贫困家庭青少年的健康状况、学校教育状况每况愈下。不仅如此，从上世纪90年代以来，随着社会主义市场经济体制的逐步推进和深化，原有的宏观利益格局进行分化整合，城乡之间、地区之间、社会各阶层之间的贫富差距越来越大，在城市也出现了一个新贫民阶层。城市贫困家庭青少年的受教育状况也成了人们心中挥之不去的阴影。众所周知，农村和城市贫困家庭青少年的受教育程度直接决定他们在未来社会的适应能力与竞争能力，如果这一问题得不到妥善解决，将会使新的贫困问题呈现代际继承的特征。

4．孤残青少年。孤儿一般是指丧失父母或遭遗弃的青少年。由于种种原因，我国女孩和残疾婴孩更容易被遗弃。当然，残疾青少年除了因遗

传被遗弃之外，还可能是由于环境、意外伤害等原因造成。孤残青少年由于自身特点，使得就业的职业效应远比健全人差。从受教育状况来看，由于孤残青少年家庭经济窘迫、社会歧视与排斥等原因，加之特殊教育学校少而且集中在城市，使得他们失去了接受教育的机会。残疾青少年深造的一个重要途径是进入特殊教育高等院校学习，但这样的学校也只有长春大学特殊教育学院、天津理工学院聋人工学院等有限的几所学校和几个专业。受教育难的窘况增加了孤残青少年劳动就业的难度，也使得他们适应社会、参与社会更加困难。

5．问题青少年。青少年正处于个体心理与生理发育的关键时期，对于新鲜事物充满了强烈的好奇心；但是，自身分辨能力差也往往易于被各种不正确的思维方式与不健康的价值观念所影响和误导。长此以往，部分青少年会形成某些与社会主文化倡导的价值观念相背离或偏差的行为模式。这些青少年社会化水平明显低于同龄青少年，面临着较为严重的社会适应困难，常常表现出非病理性的反社会倾向，在国际社会上普遍被称之为"问题青少年"。我国问题青少年的形成有下列特殊原因：第一，青少年正处于心理与生理趋向成熟的过渡阶段，缺乏调适生理与心理迅速变化的机制以及适应社会环境的能力。第二，家庭教育与学校教育的不足与失误。

6．流动青少年。随着我国社会主义市场经济的不断完善与发展，以及城市化进程的加快，"民工潮"已成为当今城市发展与进步不可或缺的推动力量。国家统计局2002年的资料显示，我国流动人口已经超过1.2亿，流入城镇的占74%。上世纪90年代以后，流动人口家庭化是近年来人口流动的一个突出现象，据研究表明，有约三分之一的流动人口具有明显的"移民"倾向。专家预测，"十五"期间流动人口格局不会发生太大的变化，规模可能持续增大，这其中，青少年的数量也达到了不容忽视的规模。"流动"既给青少年的生存与发展创造了一些有利条件，如家庭经济水平提高、教育条件和科技人文环境改善、家长教育观念的更新等；同时也为青少年健康成长带来了一些不利因素：如居住环境差、受歧视与排斥、人际关系冷

漠、童工现象等。流动青少年正处于两难境地，既难以融入城市，又不想返回农村。流动青少年面临的最大问题是教育问题，如果不能接受良好的教育，将来就无法在城市就业，这样势必使他们步其家长后尘，成为社会中新的弱势群体。

三、青少年政策调整的方向

从社会运行的角度来看，青少年弱势群体的存在，已经严重危及社会稳定；从社会发展的角度来看，青少年弱势群体的存在，有损于个体自身的全面发展和整个社会的协调发展；从社会公平的角度来看，青少年弱势群体的存在，不利于社会公正伦理体系和机制的形成；从青少年的本质是发展来看，青少年弱势群体很难影响社会政策及事务，这决定了他们社会参与的水平相对很低。

毋庸置疑，维护与保障青少年弱势群体生存与发展的权益，国家与社会责无旁贷，基于这一点考虑，中国青少年政策亟须调整。

1. 中国青少年政策分析

"我认为青少年政策就是在社会发展和社会资源分配中涉及青少年利益的一些科学界限。"换句话说，青少年政策就是关于如何维护和保障青少年权益的社会政策。迄今为止，我国并无明确的以"青少年政策"或"青少年××政策"为名称的社会政策，也缺乏一个明确、统一的事关青少年的专门法体系，相关内容更多地夹杂在一些相关法律、行政法规、部门规章、工作文件，以及许多行政实践中。涉及青少年弱势群体的青少年政策更是几近于无。单就目前我国的青少年政策分析，存在许多缺陷与不足，突出表现为以下方面：

（1）政策形式分散化，缺乏统一性和权威性。一方面，我国现有的青少年政策不够明确统一，只是通过整理、归纳、分析获得的，其实际存在方式主要是相关法律、行政法规、部门规章、工作文件。也就是说，我国的青少年政策，它的存在是一种"内隐式政策"。另一方面，除了个别领域的青少年政策表现为明确和专门的国家立法，体现出最高的权威性之外，大部分领域的青少年政策采取行政法规甚至更低层次的形式存在。其权威性较弱。

（2）政策体系不完善，缺乏合理性和完整性。我国现有的青少年政策从内容的完整性上讲，针对青少年问题和需要的不同领域、方面，政策的发展程度不均衡，内容的充实性、成熟性不相一致。而且，我国现有的青少年政策普遍存在可操作性差，缺乏具体的实施规范和引导，使其过多地流于空洞的口号式、宣言式的表达形式。

（3）政策体系不健全，缺乏科学性和严谨性。我国现有的青少年政策，从政策规划、政策制定到具体执行、监督运行的整个过程，并没有一个统一的专门机构来负责，缺乏将这些过程中的环节进行有机联系和有效整合的机制。而且，其体制和框架在责权划分上具有含混性。党委、立法机关、行政机关、群众团体似乎都有制定政策的权力与义务，却又好像都没有明确的授权与清晰的责任。因而，政策体制和推行机制存有很大缺陷，决策程序缺乏科学性和严谨性。

2. 中国青少年政策亟待调整和完善

（1）认识前提——强势关注青少年弱势群体发展的权益。维护和保障青少年弱势群体的权益，进一步推动我国青少年政策的发展和完善，首先必须在全社会确立一个认识上的前提，就是强势关注青少年弱势群体发展的权益，充分意识到它是我国完善社会主义市场经济体制、促进社会稳定和协调发展的需要。在这一点上，我们不能再停留在以往的认识水平上，把青少年弱势群体视为一个不确定的人生阶段和社会群体，或是没有什么特性的人群。恰恰相反的是，我们理应深知：青少年弱势群体是一个具有自

身独特社会性的群体，也是一个对国家和民族的未来将会产生深远影响的群体。强势关注青少年弱势群体发展的权益，并制定和实行专门的青少年政策，就是关注国家与民族的未来。在这一认识的基础之上，针对青少年弱势群体的自身特征和社会转型的需要，迫切要求一个专司负责的部门来制定和实施具有统一性和权威性的青少年政策。

（2）着力重点——鼎力支持青少年弱势群体发展的需要。我国青少年弱势群体是一个由生理性弱者、社会性弱者和自然性弱者共同组成的群体，他们的社会承受力异常脆弱，权益比较容易受到伤害。为满足青少年弱势群体发展的需要构建强力的支持系统，是我国政府义不容辞的责任，既突出了以人为本的价值观念，又体现了对社会稳定和社会公正的追求，也是我国青少年政策的应有之义。在政策的制定与实施过程中，我国青少年政策应在以下几个方面重点着力：第一，教育支持。保障青少年弱势群体的受教育权，是充分体现《宪法》中"公民有受教育的权利和义务"的精神。国家应该加大对这一群体教育经费的投入，为他们提供更多更好受教育的机会。第二，劳动就业支持。劳动就业事关青少年弱势群体的生存与发展，是他们融入社会、走向社会化的起点。而现行的劳动立法中涉及这一群体的基本没有，这就使得努力建立具有前瞻性、针对性与可操作性的青少年弱势群体就业政策体系显得日益迫切和必要。第三，社会保障支持。我国现有的青少年政策中，有关针对青少年弱势群体社会保障的政策已经比较健全，诸如对其基本生活来源的维持、必须的物质条件的保证等，都做出了某种政策宣传和一些原则性的提法。尽管如此，对这一群体的社会保障发展的现实水平仍然有待提高。

作者单位：河海大学人文学院

理论与方法问题研究

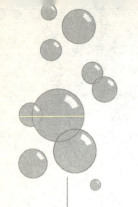

李晓军

未成年人思想道德建设中的
人文素养问题

一、人文和人文素养的含义

无论是西方还是东方，"人文"这一概念都包含着两个方面的含义。一是"人"，即关于理想的"人"、理想的"人性"的观念。一是"文"，即为了培养这种理想的人（性）所设置的学科和课程。汉语中"人文"一词最早见于《易经》。《易经》说："观乎天文以察时变，观乎人文以化成天下。"这里的人文即为教化之意。中国的人文教化，一方面强调人之为人的内修，另一方面强调礼乐仪文等文化形式。概而言之，人文既是一个知识体系、认识体系，也是一个价值体系、伦理体系，所追求的目标或所要解决的问题主要是满足个人与社会需要的终极关怀。

人文素养则反映的是一个人的基本修养与品质。有人将人文素养表述为：是以人心灵的纯洁与美好、人格的健全与高尚为核心，以人个性的完整与张扬、人本质力量的实现与确认为根本，以人与自然的和谐与统一、人"生命的生产"的有序与完善为目标的文化精神的修炼和涵养，体现的是人们处理人与社会、人与人、人与自然之间关系的价值观。

有的学者认为，人文素养的内涵应包括以下几个方面。

1．对于古典文化有着相当积累，理解传统，并具有历史感，能够"守经答变，返本开新"。

2．对于人的命运，人存在的意义、价值和尊严，人的自由与解放，人的发展与幸福，怀有深切关注。

3．珍视人的完整性，反对对人生命和心灵的肢解与割裂，承认并自觉守护人的精神的神秘性，拒斥对人的物化与兽化，反对将人简单化和机械化。

4．尊重个人的价值，追求自我实现，重视人的超越性，崇尚"自由意志和独立人格"，并对个体与人类之间的关联有相当的体认，从而形成人类意识。

5．对于人的心灵、需求、渴望与梦想、直觉与灵性怀有深切关注，内心感受明敏、丰富、细腻与独特，并能以个性化的方式表达出来。

6．重视德性修养，具有叩问心灵、反身而诚的自我反思的意识和能力。

7．具有超功利的价值取向，乐于用审美的眼光看待事物。

8．具有理想主义情怀，追求完美。

9．具有终极关怀和虔诚情怀，对于"我是谁、从哪里来、到哪里去"这一类问题愿意作严肃的追问。

10．承认并尊重文化的多样性，对于差异、不同、另类，甚至异端，能够抱以宽容的态度。

11．能够自觉地守护和践履社会的核心价值，诸如公平与正义。

通常人们把人文素养的培养看作是关于人生目的的教育，即教会人"如何做人"，如何妥善地处理人与社会、人与人、人与自然之间的关系，并妥善地解决人自身的理性、意志和情感等方面的问题，帮助人在智力、德行、感情、体格等方面达到和谐状态，从而提高人的整体素质。

可以看出，良好的"人文素养"是人全面发展的源泉，具有持久的力

量。人们在文化的历史长河中点点滴滴地积累，潜移默化地渗透，使人的精神得以贯注，思想得以净化，行为得以矫正，文化得以熏陶。从社会的角度看，倡导良好的人文素养，有助于社会秩序的和谐与稳定，形成良好的社会道德风尚，促进社会文明的进步。而缺乏人文素养，失落人文精神，必然会制约个人乃至社会、国家、民族的可持续发展。因此，在建设物质家园的同时，应高度重视精神家园的建设。

二、人文素养的培养要从小抓起

2004年9月10日的《中国经济时报》有一篇题为《老板需补人文课？》的采访报道，被采访人名叫骆建彬，是清华大学职业经理训练中心主任。在中心的5年时间里，他参与培训了3000名企业董事长、总裁。他说："一个尴尬的现实是，中国有些企业家有知识，有技术，就是缺少人文素养，没文化，道德观念与社会责任感很差。""我们现在来给老板们补人文课，这确实有点悲哀。"

这说明一个道理，就是人文素养的培养必须要从小抓起。现在很多家长、老师，在小学阶段仅仅注重数理化或者说更偏向于数理化的教育。实际上，对于人的可持续发展来说，人文素养的培养比数理能力的培养更为重要，更具有基础性意义。

教育进展国际评估组织曾对世界上21个国家的基础教育进行调查。其结果是，中国孩子的计算能力是世界上最强的，但是，中国孩子的创造力在所有参加调查的国家中却排名倒数第五。此项调查还显示，中国的中学生在学校用来做数学题的时间是每周307分钟，而其他国家孩子学数学的时间仅为217分钟。同时，中国学生回家后每周还要在数学上花4个小时，而其他国家孩子在家学数学的时间每周不到1小时。毫无疑问，在学数学和演算数学题上花费的时间太多，必然会导致中国学生缺乏参与其他活动

的机会，数学能力的过度发展，实际上是以透支其他方面的发展潜能为代价的。因此，中国学生为"计算能力世界第一"所付出的代价是时间加创造力。

有的研究认为，从我国学校的课程安排看，基础教育存在着明显的重理轻文的倾向，诸如历史、地理之类的人文课程，与国外相比，不仅教学课时少，而且教学要求低。即使是语文课，尽管课时并不少，但语文教学对学生阅读量的要求比国外低得多。阅读引发思考与拓展视野，缺乏阅读则必然会影响视野的广度和思维的深度，并具体表现为狭窄的知识面、平平的文字理解力、浅薄的分析能力和思维能力。

正是因为我国基础教育偏重于数理学科的知识积累，对人文素养的培养重视不够，最终导致了学生素质整体性薄弱点在于人文素养与创造能力不够。实际上，教育的精神力量最终体现在人文素养的底蕴之中，对于人的可持续发展来说，人文素养的培养比数理能力的培养更为基础，因为人文素养是多方面能力的总支撑，这种支撑作用具体表现为理性的思维、宽容的心胸、健康的心态、良好的自我管理能力以及足够的合作意识，等等。人文素养的缺失会直接影响到学生思维的广度与深度，以及对问题的洞察能力和对事物发展的前瞻能力，而这些能力都是创造能力的重要内涵。(参见上官子木：《人文素养比数理能力更基础》，《南方周末》，2004 年 2 月 26 日)

还有一个例子更能生动地体现从小培养人文素养的重要性。这就是马加爵事件中反映出的问题。

有人认为，如果马加爵的心灵经常有着人文精神滋养的话，他也许就会从强烈的自卑感中摆脱出来；也许就会不断地认识自己，调整自己的心态，更好地处理自己与同学、与社会的关系；也许就会敬畏生命，珍重自己，珍重他人，珍重父母。起码不会像现在那样凶残、狠毒、冷酷，不顾一切。

从有关报道中可见，在马加爵的成长历程中，严重缺失的恰恰是人文

素养。小学、中学阶段的马加爵，大多时候都被老师认为是优秀学生。实际上，当小学、中学教学最终成为一种竞争上大学的过程时，便不能指望小学、中学的人文类课会给学生足够的人文滋育，自然也就会使"优秀生"的含义有不足之处。不能说这是哪一所学校的责任，应该说这是整个教育的一个缺陷。

具体到马加爵个人的特殊情况，马加爵的父母是没有文化的农民，他们不可能让马加爵在家庭中接受充分的人文教育。特别是马加爵从小学开始，"语文并不是很好，作文总是很差，简单的故事他也会写得没有逻辑"。在中学，跟马加爵在同一个宿舍住过的同学说："他陶醉在武侠小说的世界里。到了周末，他也不再像以前那样回家度过，而是躺在宿舍里翻看一本本武侠小说。"笔记中记满了关于自杀、凶杀、吸毒等字眼的内容，写满了各种名人故事、重大新闻。马加爵还经常光顾暴力、色情、恐怖网站。由此可见，马加爵根本不喜欢阅读经典文学作品。而学生阶段的人文素养，从课外阅读中获得，从经典文学作品中获得，是重要途径。

从这些事实看，人文素养的缺乏是马加爵杀人动机的深层原因。正如云南大学一名大学生所说，自幼在应试环境中长大的马加爵缺少人文教育，缺乏对生命的敬畏，所以他在面对自己朝夕相处的同窗时才表现得像屠夫一样。

马加爵事件启示人们，应当比以往任何时候都更加重视和加强对青少年学生的人文教育，提高其人文素养，提升其人文精神。

三、当代未成年人人文素养缺失的表现

人文素养体现的是人们处理人与社会、人与人、人与自然之间关系的价值观。当代未成年人人文素养的缺失表现在不同方面，举几个常见的现象可以说明这个问题。

1．**喜欢依赖别人。**2002年1月，中国青少年研究中心"少年儿童行为习惯与人格关系研究"课题组进行了以当代少年儿童行为习惯状况为主题的抽样问卷调查。调查中发现，当代未成年人大多具有依赖他人的习惯。主要表现在：(1)做人懦弱，不勇敢。(2)自理能力比较差。(3)对生活基本技能掌握比较少。有一个女孩说："我讨厌自己的性格！大概是小时候被宠惯了吧，现在，尽管我已经16岁了，但无论干什么事都要找个伴。上下学要和别人一起走，买东西要先征求别人的意见，做作业也总想问问别人，有人陪心里才踏实。有时候，明知他人错了，我也只会随声附和，就怕一语失和，好友从此离我而去。"(上海《青年报》，1998年12月2日)

2．**任性，做事经常以自我为中心。**所谓任性，就是放任自己的性情，做事情的时候往往对自己不加约束，主观意愿强烈，而且常常不论自己的选择或做法是否正确、合理。在中国青少年研究中心"少年儿童行为习惯与人格关系研究"课题组进行的调查显示，当代未成年人做事经常以自我为中心。主要表现在：(1)自制力不强，爱发小脾气。(2)比较自私，以自我为中心。(3)不谦让，不宽容。另外，一项对全国22个省市的调查显示，我国青少年及儿童行为问题的检出率为12.97%，在人际关系、情绪稳定和学习适应方面的问题尤为突出。大学生有心理障碍者占16%至25.4%。(《家里娇生惯养　外面四处碰壁　任性的孩子最痛苦》，《健康时报》，2002年8月29日)至于这些心理问题的根源，专家们发现，首先是过于任性，什么都希望顺着自己的心愿来。

3．**责任心不强。**所谓责任心，是指个体对自我、对他人、对家庭和集体、对国家和社会、对自然所负责任的认识、情感、信念，以及与之相对应的遵守规范、承担责任和履行义务的自觉态度。责任心是一个人做人的基础，也是做好事的基础。美国品德教育联合会甚至将"责任感"作为核心道德观进行培养。而当代未成年人在责任心方面却存在着明显的缺陷。父母、教师都认为现在孩子在做人态度上缺乏必要的责任感。在学习方面，少年儿童也表现出缺乏一定的责任感。如，学习"不仔细、不认真、不求

甚解"是其中比较突出的表现。在生活中常常会看到这样一些场景。学校里组织卫生大扫除，学生们能溜就溜，不能溜的就东一下西一下地走过场，很少看到热火朝天的场面。每次大小考试时，总有学生匆匆忙忙地赶到教务处去补开准考证明，原因是学生证忘记带了。（沈越：《重视学生责任心的培养》，《班主任》，2001 年第 3 期）

4．**在交往中容易伤害别人。**社会学家认为，个体只有在群体中、在与他人交往中才能获得社会的共同规范、道德标准、生活方式，才能逐渐成为一个社会人。研究表明，那些生活在不良人际关系中的孩子，常常表现出压抑、孤独、易冲动、难予合作的特点，情绪消沉低落。而生活在良好人际关系中的孩子，则注重成绩，乐于助人，心情愉快，乐观向上。（舟山市盘陀区东巷小学《小学生人际交往障碍的原因与对策》课题组）"比较自私，以自我为中心"、"不能和睦相处，不善交往"、"不知道帮助关心他人"、"不谦让、不宽容"、"缺乏合作精神"、"斤斤计较"；缺乏同情心；窥探朋友的隐私；经常在背后讲伙伴的坏话；嘲笑或轻视朋友的缺点；惟我独尊，只看到自己的长处；对朋友产生过分的依赖性，与朋友交往缺乏独立性和自主性；不善于控制情绪；做错事没有勇气道歉；待人不够豁达；讲话没有礼貌；不注意礼仪礼节，等等。这些，都是未成年人缺乏人文素养，不能与人和谐相处的具体表现。

5．**在消费中盲目、攀比、炫耀。**未成年人的盲目消费行为主要表现在过于轻信广告，什么时髦买什么，什么广告做得多买什么，什么是新产品买什么。攀比消费方面，同学间生日、毕业时，送一张贺卡、一本笔记簿，被相当一部分学生认为已摆不上"台面"。送礼一送就是上百，请客必上饭店。南京某中学一名学生过生日，竟花2700元请同学到酒楼吃了一顿。炫耀消费方面，数百元一双鞋子，上千元一套服装，说买就买。南京某中学一名学生，身着420元的金利来衬衣和580元的鳄鱼牌夹克衫，脚穿620元的休闲旅游鞋。问他为什么不买一般的衣服，他说没派头。（《挥金如土为哪般？儿童攀高消费事与愿违弊害多》，《生活时报》，2000年12月3日）

四、培养未成年人人文素养的目标

一般认为，培养未成年人人文素养的目标应当是使未成年人具备人文关怀。有的学者认为人文关怀指的是，以人为思考的出发点，肯定人自身的价值和尊严，以人文科学的思想、观念和方法思考科学技术发展的合理性，反对科学对人自身的异化，关注人的生存境况，关注人与社会、人与人、人与自然的关系。概而言之，人文关怀的内涵至少应包含三个层面：一是有爱心，二是有责任感，三是有和谐意识。有爱心，就是要关爱他人，与人为善，尤其是要有关爱社会"困难群体"、"弱势群体"的意识。有责任感，就是强调要对自己负责，对他人负责，为人处事不敷衍、不自私、不推脱。有和谐意识，就是强调要注重自身、他人、社会及自然的关系，善于与他人、社会、自然和谐共处。

将这样的人文关怀作为培养未成年人人文素养的目标，可以使未成年人从小就在心灵深处播下爱心的种子，养成负责任的人生态度，重视社会的和谐。应当说，以人文关怀作为培养未成年人人文素养的目标，有利于让"以人为本"的理念根植于未成年人之中，更好地促进未成年人的全面发展。

五、提高未成年人人文素养的途径

古往今来，有无数的人虽然生于贫贱，处于忧患，饱经磨难，历尽沧桑，但其高尚的人格却不会因此而瓦解，美好的人性却不会因此而泯灭，远大的追求和坚定的信念却不会因此而丧失。这是为什么？一个重要原因就是人文素养的力量，是人文精神的阳光雨露照耀和滋润的神奇。

人文素养从何而来？阅读经典作品，参与人文活动，接受人文熏陶，对

于提高未成年人的人文素养都是很重要的。提高人文素养的途径很多，最重要的是要从精神教育扎根，对于未成年人来说尤其要重视从小就开始的精神积累。在今天，要让每一个人从"物质"上对自己的生活感到满足是很难的，但如果从小就培养精神层面上的需求，让每一个孩子从小就懂得追求境界，则是可以做到的。如果能让每一个孩子都喜欢看书，都喜欢欣赏音乐和绘画，如果一个出租车司机下班后都愿意欣赏一张音乐CD，一个建筑工人都愿意在假日里用彩笔美化自己的生活环境，那么，无论职业高低，收入多少，社会成员就可以在同一个立足点上得到满足。

古人早就认为，诗教对于培养人文素养是很有益处的。孔子说："小子何莫学乎诗？诗可以兴，可以观，可以群，可以怨。迩之事父，远之事君，多识于鸟兽之名。"即把诗歌作为政治、伦理、道德、美育、博学的好教材。引导未成年人主动地学习中国古典诗词，对于提高人文素养的作用是不容忽视的。近年来广泛开展的中华古诗文颂读活动充分说明了这一点。江苏省扬州市联合中心小学雏凤诗社对此有过很好的研究，用大量的例子予以证明。如，体察劳动人民艰辛的唐代诗人李绅，感叹"谁知盘中餐，粒粒皆辛苦"，对于培养未成年人尊重劳动人民，正确看待劳动价值的感情，讲究节俭，是很好的教材。陆游以自己的治学经验告诉人们"纸上得来终觉浅，绝知此事要躬行"，可以使未成年人真切地认识到，要获取真知灼见，光靠书本知识是不够的，必须重视实践。又如，王维的"明月松间照，清泉石上流"、柳宗元的"千山鸟飞绝，万径人踪灭"、韦应物的"春潮带雨晚来急，野渡无人舟自横"等名句，达到了"诗中有画，画中有诗"的审美境界，可以陶冶未成年人的审美情趣。还如，阮籍的旷达悲愤，陶渊明的恬适静远，李白的飘逸浪漫，杜甫的沉郁现实，苏东坡的大气磅礴，柳永的浅酌低唱，等等，都对未成年人的性情具有潜移默化的作用。这些，对于提高未成年人的人文素养，都是生动具体而富有感染力的。

艺术的接触与熏陶对于提高未成年人人文素养也是很重要的。尤其是当一个人心情郁闷，难以约束内在躁动时，聆听优美的音乐，常常可以让

心情慢慢沉静下来，不知不觉中进入到另一个美好世界，让身心得到完全的沉静、放松。

台湾台东县卑南乡的利嘉部落有一所小学，只有六个班级，一百名学生。这所历史悠久的小学，老树成林，绿草如茵，甚至连阶梯都以石板堆砌而成。校长张中元说，这里的学生都是卑南族原住居民，校方不希望给他们过多的课业压力，而重视发展每个孩子的专长，在校园中跳舞歌唱，以留下美好的童年回忆。每天午休时，学校都会播放古典音乐让孩子欣赏。张校长不但首开先例派学校教师到国家音乐厅欣赏音乐，而且每年年底当梅花绽放时，一场露天音乐会都会在梅树下举行。这场名叫《梅花音乐季》的音乐会会深深地吸引孩子。利嘉小学的卫生间也变成孩子发挥绘画想像力的空间，卫生间就像美术馆一样。张校长说，他希望孩子们在校期间能学到两件事情，一是懂得凡事感恩，二是懂得提升自己的人文素养。

尽管这些教育都不会出现在学生的成绩单上，但相信谁都不会怀疑张校长对那些孩子人文素养培养所起的重要作用。无疑，一个细致的社会，一定是从人文素养的培养开始的，而且是从提高未成年人的人文素养开始的。这种精神的积累和潜移默化的作用，影响的不仅仅是一个人，一代人，而是整个国家，整个社会，关系着民族的希望与未来。

六、为未成年人营造良好的人文环境

未成年人的思想道德教育，涉及到学校教育、家庭教育、社会教育三个环节。同样，提高未成年人的人文素养也需要学校、家庭、社会共同为孩子营造良好的人文环境，而且这三个环节要相互衔接，相互渗透，相互作用，相辅相成，形成合力。

现在，学校、家庭、社会在为未成年人营造人文环境方面存在着不少问题。中国青少年研究中心2004年的一份关于未成年人思想道德建设的专

题研究报告中，概括出了目前影响未成年人思想道德建设的四方面因素。一是学校教育功能上的德智失衡，虽然"转变应试教育为素质教育"的呼声很高，但终究未能改变教育功能的"一切围绕考试分数转"，以考试分数定录取线的高考，仍在主宰着中学的教学，使德育陷于"说起来重要却对升学无任何意义"的尴尬境地。二是家庭"望子成龙"中的重心偏误，使许多家长从德才兼备向"注重学习成绩"的重心偏移。对学习成绩的期望过高，"只能考好不能考坏"，"学习成绩排名只能靠前不能靠后"，往往给孩子的心理造成难以承受的压力，扭曲孩子的人格，厌学、逃学、自杀甚至走向犯罪等越轨行为，时常由此发生。三是文化市场上的审美错位，在电影电视剧中，以调侃嘲弄高尚，以粗俗取代文明，将无视道德规范美化为个性解放，将玩世不恭称颂为活得洒脱，这样的情景可以说已成泛滥之势，对审美观尚未形成、辨别能力比较弱的未成年人具有更大的腐蚀性和诱惑力。四是网络、短信的监管乏力，大量暴力信息、色情信息严重污染着众多稚嫩的心灵，有不少缺乏自制力的未成年人沉溺于网络游戏之中，导致学习成绩下降、旷课、逃课，甚至走向违法犯罪。

面对这些问题，为未成年人健康成长营造良好的人文环境已是刻不容缓的事情，学校、家庭和社会需要为此形成合力。

学校应当将人文环境营造得生机勃勃。如前面提到的台湾台东县卑南乡的利嘉小学，每天午休时播放古典音乐让孩子欣赏，每年梅花绽放时在梅树下举行《梅花音乐季》音乐会，其至连卫生间也变成孩子发挥绘画想像力的空间。深圳市罗湖区碧波小学从2002年9月起，率先在全市开展以古诗词为载体的"诗教"课程开发与实施研究，将古诗词引进校园，引进课堂，通过古诗词弘扬中华民族传统文化，增强学生对传统文化的认同感和家园意识，让学生在读诗、诵诗中受到以诗辅德、以诗促雅的熏陶，从而提升他们的人文素养和爱国情怀。

在家庭教育中，从胎教到"习惯成自然"，家长应当从一点一滴的细致处着手，达到潜移默化的目的。同时，要注意内容的扩展和功能的转换，针对少年儿童成长不同时期的特点，因时因地施教。如在少年时期，让孩子养成朗诵诗歌、阅读经典的习惯的同时，还要通过诗歌、经典著作塑造孩子的健康心理，培养孩子明辨是非的能力。同时，家庭教育要同学校教育进行有效互动，家长应主动参与学校的一些活动，与学校同步为孩子营造良好的人文环境。

社会是学校教育和家庭教育所处的大环境，社会教育是学校教育和家庭教育的延伸与拓展，在营造人文环境方面有着特殊作用。第一，坚持正确导向，在全社会范围内大力弘扬民族正气，弘扬良好道德风尚，发扬中华民族的优秀传统。第二，净化未成年人健康成长的社会环境尤其是要净化文化环境。第三，开展社区教育活动，如参观本地历史文化纪念馆，组织当地老干部、老党员、劳模、英模给未成年人作报告。

七、蒙以养正：培养未成年人人文素养的方式

中国古代有一个十分重要的教育思想，这就是"蒙以养正"，也叫"养正于蒙"。"蒙以养正"的教育思想来源于《易经》。《易经·蒙卦》说："蒙以养正，圣功也。"《易经·序卦》解释说："物生必蒙，故受之以蒙。蒙者，蒙也，物之稚也。物稚不可不养也。"这里的"蒙"字既有蒙昧、幼稚之意，又有启蒙、教育之意。也就是说，从未成年人开始就要教育一个人懂得如何做人。研究和实践表明，"蒙以养正"应从以下几个方面入手。

1．亲情教育。"老吾老，以及人之老；幼吾幼，以及人之幼。"这是众所周知的句言，说明了亲情教育的意义。有位名人说，缺乏家庭亲情者难有社会责任感。实际上，如果一个人连养育自己的父母都不爱，怎能奢望他去爱同学、爱人民、爱祖国。

2．责任教育。一个有责任感的人，才会自觉，才会进取，才会振奋。用责任撑起来的人才是堂堂正正的人。让未成年人在劳动和活动中承担责

任，克服惰性，并适当地予以表扬，会激发他们的责任感。

3．**挫折教育**。"天将降大任于斯人也，必先苦其心志，劳其筋骨，饿其体肤，空乏其身，行拂乱其所为，所以动心忍性，增益其所不能"的名言，说明有成就的人大多历经磨难而成。而现在的孩子们，往往是衣食无忧，饭来张口，衣来伸手，少了磨难多了脆弱，少了乖巧多了任性，少了刻苦多了娇气，少了谦虚多了骄傲。一但遇到困难和挫折，往往难以面对，要么悲观失望，要么灰心丧气。更有甚者，索性轻生以求解脱。这就使挫折教育成为必要。应当有意识地让孩子多开展一些如军训、社会实践、生活磨炼、体能训练等活动，让他们从中获得克服困难的勇气和意志，能够满怀自信地面对困难和挫折。

4．**创新教育**。未成年人的个性应当得到充分的尊重和发挥。应鼓励未成年人不满足于现有和现成的知识，对事物抱有强烈的好奇心和求知欲，善于积极思维和提出问题，敢于想别人之不敢想。

5．**协作教育**。日益激烈的社会竞争使人们有时候过多的强调对未成年人进行竞争教育。但社会的进步更多地是靠集体的力量。一味地强调竞争而忽视协作教育，必然会造成孩子心胸狭窄，性格孤僻，猜疑妒忌甚至仇视他人的心理，过于以自我为中心。因此，应引导孩子学会处理竞争与协作的关系，既要敢于竞争，又要善于协作。

6．**自制教育**。自制是孩子将来独立于世的一种基本能力。没有自制力的人习惯于我行我素，必将形成任性、自私、贪图安逸、追求享受的不良性格。而有良好自制能力的人，就能自我要求，见别人取得成绩，不自卑、不嫉妒、不吹捧，而是平等相待，以平常心相待。

作者单位：共青团中央办公厅

孙国相

社会诚信体系建构与共青团组织的
对策选择

　　党的十六大报告强调指出，建立与社会主义市场经济相适应、与社会主义法律规范相协调、与中华民族传统美德相承接的社会主义思想道德体系，要以诚实守信为重点。诚信是人类社会一切道德的基础和根本，体现出做人成事及经济生活中的一个基本道德规范。诚信是社会主义市场经济健康发展的前提和基础，市场经济的发达离不开诚实守信。诚信建设是社会主义精神文明建设的重要组成部分，对社会风气的根本好转具有关键的促进作用。共青团组织作为青年在实践中学习社会主义和共产主义的大学校，要以党的十六大精神和"三个代表"重要思想为指导，深入贯彻落实《公民道德建设实施纲要》和《关于加强和改进未成年人思想道德建设的若干意见》，以青少年社会诚信体系建设为着力点，在全面振兴东北老工业基地的建设中发挥系统的政治优势和组织优势，为全面实现小康社会的宏伟目标做出独特而卓有成效的贡献。

一、社会诚信缺失原因及背景因素分析

在振兴东北老工业基地的进程中,随着社会主义市场经济体制逐步建立,社会结构和经济结构加快了分化与整合,由此带来的各种思想观念、道德准则、行为方式和生活方式的新变化,将对青年一代的健康成长产生深刻的影响。当前社会上普遍存在的"诚信缺失"现象,就是一个需要给予高度关注的社会焦点问题。比如,在生产经营领域中,制假售劣、逃债赖账、商业欺诈、偷税漏税、合同违约、走私骗汇、财务失真、坑蒙拐骗等不诚信的行为,在社会的各个层面一直难以得到有效的禁止。这种单向度和急功近利的经济追求及其运作机制所造成的空前信任危机,不仅严重地加大了经济活动的成本和扼制了经济发展的命脉,而且更为严重的是干扰了正常的生活秩序,特别是毒害了我们的下一代。比如,受其影响,在被称为"天之骄子"的大学生群体中,考试作弊、拖欠贷款、简历注水、求职送礼等弄虚作假行为,在各个高校都不同程度地有所表现。据东华大学团委近期的一项调查,有28.57%的学生认为,"诚信"只是纯粹的理想,难以在现实中实践;有73.21%的学生认为,失信的主要原因是拜金主义和利己主义的滋长,在利益驱动面前诚信远没有金钱来得重要;有58.64%的学生认为,"从众心理"是他们不诚信的原因,大家都这么做也只能随波逐流了,等等。这项调查表明,由于当代大学生对诚信的本质缺乏充分而完整的认识,加上受到社会上一些不良风气的影响,使他们的诚信意识和诚信行为出现偏差与错位。从思想道德文化素质较高的大学生群体中反映出的问题,可以大体上折射出当代青少年诚信意识和诚信行为的程度,需要全社会,特别是各级共青团组织清醒地认识到事情的严重性及产生根源的复杂性,从体制和机制建设入手,从日常小事做起,坚持不懈地进行教育和引导,努力打造社会主义市场经济条件下青少年诚信团队的示范群体。

社会信用缺失现象产生的原因是由多种因素共同促成的。主要体现在：（1）体制缺陷。在由计划经济体制向市场经济体制过渡的转型中，对出现的许多情况和新问题估计不足，一些改革制约措施没有到位，使一批批惟利是图者有机可乘，利用尚不完善体制中存在的漏洞，从事危害社会和人民群众的欺骗欺诈行为。（2）利益驱动。在地方保护主义和个人利己主义的双重利益驱动下，见利忘义，权钱交易，弄虚作假，瞒上欺下，各种违规现象层出不穷，带有团伙性质的集体造假和区域造假也屡见不鲜，有的甚至走私贩私、制毒售毒，走上违法犯罪的不归路。（3）在社会主导价值体系和道德规范体系还不健全和完善的情况下，一些失信者表现出不惜侵犯他人利益而追求私利的贪婪性和疯狂性，不择手段地施展各种损人利己的欺诈手法，使社会整体的失信程度恶性循环，并对社会道德规范的建立形成挑战。（4）监管不力。市场经济是法制的经济，需要一整套行之有效的法律条文和一支训练有素的执法队伍，去维护正常的生产经营秩序，在现阶段的执行过程中，这两方面还存在着较大的差距。监管的制度和监管的力度还远没有到位。（5）惩罚不严。每年"3·15"消费者权益保护日揭露出的触目惊心的事件表明，在多数情况下，执法部门对失信者的违法行为是打击不力的，经常以罚款代替法律惩处，使违法者不仅没有受到法律的震慑，反而更加有恃无恐助长了失信之风的蔓延。

社会信用缺失更深层的背景原因是机制保障的相对滞后。在计划经济较为封闭的环境下，社会诚信风气较好的主要原因有：（1）在行政高度集中管理体制中，人作为单位人的关系较为单一，而弄虚作假的代价又十分昂贵，使不诚信者往往望而却步。（2）在较为封闭的条件下，人们交往的社会互动舞台偏小，发生不诚信交易的机会大为减少。（3）在当时的社会政治文化氛围下，经济利益被阶级利益所替代，失信问题没有滋生存在的土壤。进入新的历史时期，在全新的时代和环境背景下，伴随着经济和社会的高速发展，人们的交往联系日益广泛、频繁而紧密，横向联系多于纵向联系，社会联系多于单位联系，旧有制度的行政统辖力大为弱化。经济成分、就业方式、组织方式、生活方式的多样化，给人们提供了更加广阔

的活动领域和发展空间。面对改革开放大潮的强烈冲击，面对金钱和物质的种种诱惑，正统的思想政治工作显得苍白无力，传统的道德规范更是难以有效约束，诚信的理念和原则受到了严峻的挑战，诚信的社会危机已露端倪。由于历史的原因，我们党和政府对市场经济运行规律的认识还不够全面和深刻，对除了思想教育和道德约束之外的保障机制建设还略显滞后。为了从理论和实践的结合上，加快社会诚信体系的建设，需要追寻中华民族传统文化中遗留的宝贵文明遗产，借鉴西方发达国家的经验教训，深入研究社会主义现代化进程中的社会信用问题，增强社会信用意识，加快社会信用制度和机制建设。综合动用教育、法律、行政、经济、舆论等多种手段，解决信用缺失和信用危机弊端，通过构建社会诚信体系，从根本上消除不诚信产生的各种因素。

在社会诚信体系的建构中，个人、企业、政府分别占有独特的地位。首先，个人诚信是基础。社会诚信文明的形成，要从每个人做起，从现在做起，从一点一滴做起，只有人人都诚实守信，整个社会信用大厦的根基才会牢固。中华民族传统文化崇尚诚信美德，市场经济规则要求良好的商业道德，日常工作生活也讲求做人的信誉，从社会公德、职业道德、家庭美德教育入手，从不同领域不同行业的特点出发，全面展开诚信文明的实践活动，树立社会诚信的责任心和义务感，坚持说老实话，办老实事，做老实人，先做自觉的参与者，再成为成果的受益者。其次，企业是诚信的重点。作为市场主体，企业信用状况关系到资源配置、经济运行和市场交易安全等整个经济活动秩序问题。当前市场主体的独立性和多元性，企业行为的趋利性和竞争性，给诚信规则的推行带来了阻力。每个企业都要树立良好的经营理念，坚持"君子爱财，取之有道"的策略，努力完善经营活动中的信用制度，规范契约行为，实行精品战略，打造百年老店，不断提高服务质量，坚决抵制形形色色的损害社会利益、扰乱市场秩序的不讲信用乃至违法犯罪行为，在消费者和用户中建立稳定的购买信誉度，用自身的实际行动维护社会诚信体系的生命力。其三，政府诚信是关键。政府作

为社会诚信的表率，体现的是执政为民的政治责任。增强法律意识和诚信意识，完善政务公开制度，严格依法行政，承诺的事情一定要努力兑现，对违规者的责任一定要追究到底，反对弄虚作假的形式主义，杜绝劳民伤财的政绩工程，是政府取信于民的重要环节。政府的公务员更要以身作则，把诚信作为检验为人民服务标准的试金石。总之，个人、企业和政府三者缺一不可，只有从不同的角度增强参与社会诚信体系建设的积极性、主动性和自觉性，站在事关国家安危、民族兴衰和现代化事业成败的高度，充分认识社会诚信文明体系建设的重要意义，才能形成全民自觉遵纪守法、诚实守信的良好的社会风尚和市场经济秩序。

二、诚信问题的理论研究和借鉴

诚信的词面解释就是"诚实、守信用"。在现代词语中，诚实即内心与言行一致，不虚假。信用一般指能够履行诺言而取得信任。诚信一词在我国古代典籍中就有记载。在《商君·靳令》中，"诚信、贞廉"与"礼乐，诗书，修善、孝悌，仁义，非兵，羞战"并称六虱。到了现代，诚信强调的是要忠于自己的义务或责任。据《布莱克法律词典》解释，诚实信用即怀有善意，诚实地、公开地和忠实地，没有欺骗或欺诈，没有假装或伪装，没有骗取或追求不合理好处的目的。近几年来，不同学科的研究者对"诚信"一词从不同的角度进行定义，但是没有形成统一的共识。主要存在以下五种表达取向：（1）将诚信理解为对情境的反应，由外界刺激决定个体心理和行为的因变量。（2）将诚信理解为个人人格特点的表现，是一种经过社会学习而形成的相对稳定的人格特点。（3）将诚信理解为人际关系的产物，是由人际交往中的理性算计和情感关联决定的人际态度。（4）将诚信理解为社会制度的产物，是建立在理性的法规制度基础上的一种社会现象。（5）将诚信理解为文化规范的产物，是建立在道德和习俗基础上的一

种社会现象。在诚信理论深层次的探讨研究中，中外学者都有许多颇有见地的论述，这里选择其中有代表性的观点加以概括评述如下。

北京大学张维迎教授在其所著的《产权、政府与信誉》一书中，是从经济学的角度来理解诚信和信誉的。他指出，许多看似道德的问题，实际上可以从产权制度上找到答案，无恒产者无恒心，无恒心者无信用，毁坏信誉的产权基础，限制了自由竞争，必然导致市场程序混乱，坑蒙拐骗盛行。因此，产权制度是一个比社会道德更基础的东西，企业的短期行为，扎根于我们现行的产权制度与政府管制上的弊端。

中国人民大学郑也夫教授在其所著的《信任论》一书中，着重讨论了如何理解信任、理性与习俗三者关系问题。他从当代生物学、博弈论、经济学、社会学等学科中吸收思想营养，分析了人类信任行为的生物学根源，心理根源，制度基础以及文化基础。同时以"杀熟"现象为例，分析了当代中国社会缺乏信任的起因，及信任的历史性和文化特点，认为在传统社会中一般是以信任为主，而现代社会则更应依赖于系统信任或社会信任。

中国学者李向阳在其所著的《企业信度、企业行为和市场经济》一书中，认为文化规范与制度安排分别是个人信誉与集体信誉的主要基础。两者既不可分，同时也存在着差距。个人信誉更多地取决于一个社会的文化、历史、道德和经济发展水平等因素。集体信誉以个人信誉为基础，并不等于个人的简单加总。集体信誉的实现还要有相应的制度安排。

近代美国著名学者福山在其《信任：社会美德与创造经济繁荣》著作中，强调文化因素对于经济发展的重要性。他认为建立在宗教、传统、历史习惯等文化机制之上的信任程度构成一个国家的社会基本，一个国家信任程度高低又直接影响企业的规模，进而影响该国在全球经济中的竞争力。新古典主义的经济模式向人们展示的人类本质是不完全的，尽管契约与私利是人们结合在一起的重要因素，但最有效的组织都是建立在拥有共同的道德价值观的群体之上的。这些群体不需要具体周密的契约和规范其关系的立法制度，因为道德上的默契为群体成员的相互信任打下了坚实的基础。

匈牙利布达佩斯高级研究所科尔奈教授在其经典著作《短期经济学》一书中，重点讨论了后社会主义转轨时期，作为市场经济基石的"诚实与信任"问题。他认识到，在大一统的社会主义体制下，人与人之间的主要关系是由国家无数的管制和命令来调节的。因此不存在相互之间的诚信履约问题，但在市场经济条件下，诚信就成为一个很基本的要求。东欧后社会主义的实践表明，如果国家不能有效保障商业合同的履行，黑手党和犯罪行为的滋生就无法避免。而适应市场经济和民主政法要求的以法律为权威的制度体系的建构，需要十到二十年的时间，构建诚信社会更为关键和根本的战略是公民"心态"的改变。这种长期的努力包括：家庭、中小学各大学的教化与教育，平面媒体和电视潜移默化的作用，公众人物与工作上司言行的影响。

在上述学者的著述中，从不同的层面和角度对诚信的理论问题做了深入探讨，对社会主义市场经济体制条件下的社会诚信体系建设提出了对策性见解。概括归结，作为复杂的社会系统，诚信体系应包括三个层面：第一个层面是基础保障层。坚持以经济建设为中心，推动社会生产力总量的持续发展，是诚信建设的物质基础。平等公正地调整不同利益主体间的相互关系，是诚信的基本功能，而这一功能在社会生活的实现，则有赖于政策基础保障。政策应体现平等公正的道义精神，维持公平与效率的动态平衡，扩展和推动社会利益整合。同时要确保信用关系的诚信互动性质，遏制强势力方侵害弱势力方的合法权益，为避免非诚信手段的互相报复提供有力保障。第二个层面是法律控制层。建立健全稳定的信用制度和管理制度，形成针对信用活动的约束监控机制、防患纠错机制、评估奖惩机制和导向模型机制，借助国家的强制性力量，以法律法规形式赋予诚信要求以权威性的普遍效力。通过道德所体现出的控制主体、控制范围、力量向度和作用广度约束特点，确立全社会现阶段的道德体系，为社会成员提供具有普遍认同性的道德律令，以及评判社会行为的共同参照系。第三个层面是自律屏障层。只有将外在的诚信准则内化为公民人格心理结构中的认知，

问心无愧和情感尺度，并运用这些尺度进行自我评判、自我监控、自我激励和自我惩罚，诚信精神才能对个体机动和行为产生实际的控制作用。党政机关、行政司法部门、税收工商管理质检行业、企业银行中介机构等社会重点团体，应率先将社会诚信准则内化为支配团体生活的道德价值取向、舆论评价尺度和行为、动机定势，把诚信精神作为团体化的自律屏障，经过道德文化建设的积淀和修炼，成为社会上诚信自律团体的榜样。社会诚信体系三个层面的理论根据，为社会主义市场经济体制下的诚信体系建设提出了框架依据。从继承和借鉴的研究视角，我们还应进一步从我国传统诚信文化典籍宝库中和西方发达国家诚信制度建设的实践中，得到更多有益的启迪。

中国传统伦理对诚信问题的探释，可以追溯到先秦诸子百家，以及后来的孔孟之道。在《尚书》、《周易》、《大学》等最早的历史典籍中，诚信由概念到理论，逐渐成了体验道德本体和内养与外成的关节点。宋明时期理学家们进一步对"诚"的内涵作出哲学思辨的演绎，作为维护封建"天理"的精神元点加以阐发。明末清初，唯物主义哲学大师王夫之把"诚"解释为："诚者，实也。实有之，固有之。"要求人们按照客观事物的真实面貌去认识和对待。经过历代先哲的辛勤耕耘，穿越千百年的岁月沧桑，中国传统的诚信思想和社会信用体系建设，已成为具有普遍意义的伦理道德规范基石。其基本内容包括道德、契约、法律三大规范。道德规范强调的是诚信作为个人立身处世的基本道德原则，应视为人的天赋本性和教化终极目标，一种善的人生价值，一种高尚的品德操行。认为从内心真诚达到明晓道理，叫做天性；由明理达到真诚，便是教化。只有至诚才能发挥人的天赋本性，只有发挥人的天赋本性，才能发挥事物的本性，没有真诚就没有事物。契约规范是在道德情操不足以抵制利益诱惑的情况下，双方或多方共同协议达成的有关交易行为中处理权利义务关系的文书。由于自律守信需要较高的思想觉悟和人格修养，而有时不守信很可能带来相对利益，于是见利忘义者便在特定情况下不讲诚信。古代社会人们交易中互相约束的文契，一般由当事人共同达成，需要时要有第三者担保，属于信誉性规范。其诚信约束力超过了道德规范，行为人既应承担道德责任，也应承担契约中的承诺。法律规范是基于自然人与社会、法人与社会、公民与国家之间权利之上的一种社会资格，一种人身权利，一种法定义务，一种民事行为，一种国家赋予强制约束力的法律裁判机制。诚实信用作为一个法律原则，包含行为人的内心意愿，也包含行为人的外在表示，其价值不仅在于敦促行为人承担道德责任和约束行为人履行义务，还在于对整个社会经济生活和市场经济秩序发挥重要保障作用。在我国古代长期的以农业经济为主的社会生活中，尽管还不具备诚信立法的背景条件，但其生产交易过程中所提出的诚信原则和措施，对我国新的历史时期制定《民法通则》、《反不正当竞争法》等法律法规仍然具有重要的借鉴意义。

诚信作为一种思想，在西方也有着同样源远流长的历史。从法国的资产阶级启蒙思想家开始，他们对市场经济的内涵和规律进行了探索。卢梭提出了"契约论"，认为人与人之间应该形成"契约关系"，这样才能保证社会整体秩序，保证社会的整体利益。社会契约论者基本上把诚信视为人的一种承诺、履约的道德规范。社会契约论的另一位先行者格劳修斯就指出：守约是人的本性，人们订立契约就产生民法，"有约必践，有害必偿，有罪必罚"。从世界各国市场经济的产生和发展过程来看，诚信在市场经济的有序发展中具有不可替代的作用。其重要意义在于，诚信所包含的信任可以减少社会行动的交易成本，并能够使经济制度的高效率成为可能。社会资本具有两种基本形式：信任和社会网络。这两种形式是相互依存的，信任在社会网络中产生，又是社会网络中的"软件"；社会网络是信任产生并发挥作用的基础，是社会资本的"硬件"支撑。资产阶级思想家之所以把市场经济看作是信用经济或契约经济，是因为破坏信用关系，就会动摇市场经济的基础，就会带来经济秩序的混乱。德国现代著名学者马克斯·韦伯在其《新教伦理与资本主义精神》一书中，着重论述了资本主义市场经济的发展动力，强调节俭对于资本积累，诚信对于市场主体交易行为的重

要意义。随着经济全球化趋势的加速到来，西方社会公德的诚信教育正在扩展到国际范围。WTO的基本原则就包括公平交易原则、透明度原则和非歧视原则。这些原则在更深层次蕴含着对道德人格的要求。在国际竞争中，没有信用就没有竞争的资格。世界贸易是诚信合作的经济，而不是投机和假冒伪劣的经济，只有具备了较高的道德人格信誉，才能更好地适应经济全球化的严峻挑战。从这个意义上，青年社会诚信体系的建设对正在走向改革开放世界的青年一代尤为重要。

三、创建青年社会诚信体系的实践探索

以党的十六大精神和"三个代表"重要思想为指导，按照整顿和规范市场经济秩序的总体要求，加快建立社会信用体系，加强制度和法制建设，学习贯彻《公民道德建设实施纲要》，大力倡导"爱国守法，明礼诚信，团结友善，勤俭自强，敬业奉献"的基本道德规范，为社会信用体系建设和市场经济秩序的根本好转营造良好的社会氛围，保障和促进全面建设小康社会宏伟目标的实现，是党中央、国务院对建设社会信用体系的总体布署。共青团组织作为振兴东北老工业基地的生力军和推动社会主义精神文明建设的先锋队，要在社会信用体系创建中发挥独特的作用。一方面要在整顿和规范市场经济秩序中积极配合有关部门，深入开展社会诚信的宣传教育，增强生产经营者的诚信意识和守法意识，强化企业、消费者的信用风险防范意识和自我保护能力，通过各种形式的社会活动促进社会公民遵纪守法、诚实守信的良好风尚日益形成。另一方面要充分发挥团组织的系统优势，把青少年社会信用体系的创建作为工作的着力点，从道德品质养成的基础教育抓起，以家庭、学校、社区为平台，以社会实践为纽带，以"青年文明号"创建活动和青少年自愿者服务活动为重点，为东北老工业基地的全面振兴努力打造一代符合市场经济体制发展要求的新型团队和各类青少年

人才。

在创建青少年社会信用体系的实践中，各级共青团组织从实际出发，围绕整顿和规范市场经济秩序的重点和难点问题，进行了积极有益的探索，取得了丰硕的成果和积累了丰富的经验。以在全国青年职工中实施的"青年文明号信用建设示范行动"为例，早在 2001 年团中央会同国家经贸委、中央金融工委、铁道部、交通部、国家工商行政管理局、中国民航总局联合下发文件，在工业生产领域、商贸流通领域以及金融、铁路、交通、工商、民航等与人民群众生产生活密切相关的行业中，全面开展青年职工诚实守信的职业道德教育，动员和组织青年文明号集体及争创集体忠于职守，诚实守信，充分发挥青年文明号的示范作用，增强青年群体的信用意识，提高广大青年职工的道德素质。这是一项在全国开展的以加强信用教育、规范信用行为、公开信用承诺、加强信用监督为手段，以提高青年文明号集体及争创集体的信用度、推动社会信用体系建设为目标的群众性两个文明建设实践活动。其基本标准是：（1）信用道德优良。能够自觉加强职业道德建设，集体成员敬业爱岗，文明从业，具有较强的信用意识，把全心全意为人民服务作为自觉追求，恪守诚实守信的信用道德。（2）信用行为过硬。能够遵守法律和行政法规，不制假售假、走私贩私、偷漏税、逃避债务，公平竞争，自觉维护市场秩序。全面履行合同规定的义务，切实兑现各种承诺，无任何不守信用的行为。（3）信用制度健全。能够完善各项管理制度，实行信用责任制，把信用要求落实到岗位和个人，监督措施有力。（4）信用效果显著。树立了良好的信用形象，并取得了较好的经济效益、人才效益和社会效益。青年文明号信用建设示范行动在全国实施之后，已有中央企业工委、国家计委、公安部、建设部、信息产业部、水利部、卫生部、国家税务总局、国家旅游局、国家电力公司、中华全国供销合作总社、中国个体劳动者协会等部委行业相继加入，在全东北乃至全国城乡营造了良好的诚实守信的社会氛围。

西方管理学中的"价值链"理论认为，每一个企业都是在设计、生产、

销售、发送和辅助其产品过程中进行种种经济活动的集合体。这些互不相同但又相互关联的生产经营活动，构成了一个创造价值的动态过程，即价值链。企业与企业之间的竞争，不只是某个环节的竞争，还是整个价值链的竞争，整个价值链的综合竞争力决定着企业的生命力。而维系价值链持续运转的润滑油就是诚信，惟有实现诚信供应、诚信生产、诚信营销、诚信服务，才能保持与所有合作伙伴的健康关系，企业也才能在竞争中立于不败之地。推而广之，整个社会系统的价值链也是这样，只有形成良好的诚信关系，才能全面提高经济运作的质量和效率，加快经济和社会发展的良性循环。中国人民大学吴晶妹教授在深入研究信用活动与经济增长的关系之后，认为信用交易总规模与信用结构密切相关，并且信用交易总量能拉动经济增长。在这个意义上共青团组织联合相关部门行业开展的青年文明号信用建设示范行动，对打造社会诚信的价值链，提高社会信用化程度，促进忠于职守、诚实守信的道德文明新风，以及推动全面建设小康社会的宏伟目标早日实现，都具有重要的典型示范和推广意义。下面我们以"全国青年文明号"先进集体——沈阳商业城皮鞋二商场团组织创建诚信经营的实践为典型，进行具体案例的剖析和总结。

全国青年文明号沈阳商业城皮鞋二商场现有号手93人，平均年龄28岁，其中党员11人，团员56人，大专以上学历47人，本科学历7人，获得国家劳动部颁发的中级以上营业员资格证书的达100%，其中有43人获得高级营业员资格证书。皮鞋二商场自1994年开展青年文明号创建活动以来，以高度弘扬职业文明、争创一流岗位业绩为创建核心，以"真品、真货、真心、真情"为创建理念，经过全体号手的共同努力，走出了一条富有特色的创建之路。他们的主要做法是：（1）围绕提高素质，打造学习型团队。切实把"诚信为本、有诺必践、恪尽职守、率先垂范"的青年文明号信用公约落到实处。以建立素质型商场、培养知识型员工为切入点，采取集中学习与业余自学、技能培训与军事训练、专业辅导与典型推介、专家授课与拜师求艺等四结合的方式，常年坚持开展"天天一小时、月月一

本书"的读书活动。借鉴国际推崇的"核动力"拓展训练，培养员工的精品意识、创新意识、学习意识和协作意识。(2)强化特色服务，打造创新型团队。以经济效益为中心开展创建活动。一是经营创新。围绕平方米创利，对所经营品种和品牌进行准确的定位，不断拓展新的利润区。二是服务创新。推出"青年文明号服务卡"、"蹲式服务"、"地毯式售鞋法"等八化特色服务，建立忠诚顾客档案7700个。(3)加强信用约束，打造科学管理型团队。教育与管理相结合制定了《青年文明号管理办法》、《优质服务达标考核办法》、《员工服务质量考核评比制度》、《员工劳动纪律考核评价制度》、《营业现场操作指导》等，形成了自律与他律、自我约束与外在约束有机结合的良好机制。几年来，商业城皮鞋二商场通过青年文明号创建活动，取得了两个效益的双丰收。销售额每年以9%的速度递增，2003年实现销售额3500万元，比创建之初翻了三番。有6个品牌取得全国单品单店销售第一的好成绩。团中央书记第一书记周强不久前来沈阳考察工作时，高度评价商业城皮鞋二商场的全国"青年文明号"："青年都发挥了生力军的作用，精神状态很好，不断的创新、不断的学习、不断的追求，爱岗敬业、岗位成才、建功立业，做出了积极的贡献。"

以诚信价值理念为核心的青年文明号信用建设示范行动，适应社会主义市场经济体制的建立，针对社会上存在的诚信缺失的弊端，以其先进性、实践性、争创性、群众性和示范性为特色，开创了新时代的社会新风。"岗位奉献青春，诚信凝注文明，青年铸造城市，城市以我为荣"，青年文明号作为一种荣誉、一种精神、一种责任、一种标志，正在成为广大有志青年追求的成长目标，以诚信建设为主题的各类社会实践活动也必然能得到青年一代的积极响应。比如，"产品质量万里行"活动、"百城万店无假货"活动、"消费者权益保障"活动、"商业信用街"创建活动、"五比三好一深化"青年文明工程等，在实施过程中都收到了较好的经济效益和社会效益。这些活动的成功开展，从指导思想和原则，活动体系与管理规范，以及青年参与、机制建设、措施保障等诸多方面都进行了创新探索，为东北老工业

基地的振兴做出了贡献,为建构青年社会诚信体系提供了客观的实践依据。这里结合上述的理论研究和实践探索,对青年社会诚信体系的建设提出九个方面的对策与建议。

1.**明确体制关系和发展思路**。在社会主义精神文明建设的大系统中,社会诚信体系建设是其中的一个重要组成部分。青少年社会诚信体系的建构要自觉地纳入社会大系统中,统一规划、统一部署、统一行动。在体制上理顺,在工作中协调,在活动中配合,有助于同构共建、资源共享,在更高的层次上和更大的范围创建发展的主动权。同时,青少年社会信用体系的建设要有自身的特色。其发展思路是:以思想道德教育为先导,以家庭、学校、社区为平台,以社会实践活动为主线,以"青年文明号"和青少年志愿者为示范群体,以道德培育和养成为基础,以学校、企业、机关为重点,以政策法律和机制建设为牵动,以理论研究和实践探索为支撑,形成基本框架和发展思路。

2.**深入开展以诚信为重点的宣传教育**。主要内容包括:《公民道德建设实施纲要》、《关于进一步加强和改进未成年人思想道德建设的若干意见》、《关于整顿和规范市场经济秩序的决定》以及《行政许可法》、《民法通则》、《合同法》、《公司法》、《产品质量法》、《商标法》、《消费者权益保障法》等与市场经济相关的法律法规。宣传教育的实现目标包括:(1)建立以诚信为重点的思想道德教育体系,紧密联系青少年的公共生活、职业生活、家庭生活等不同领域和层面的实际特点,细化诚实守信的道德规范,有效地调整好各种社会关系。(2)诚信意识和道德法规观念在青少年中深入人心,社会公德和职业道德的自律机制明显增强,以诚信为荣、失信为耻的社会生活和经济交往的准则为大多数青少年所恪守。(3)《青少年信用教育读本》等系统教材相继问世,各种形式的报告会、宣讲团、专题论坛深入基层,不同层面和类型的先进集体和个人竞相涌现。(4)公共部门和重点行业的公信力和信誉度明显提升,青少年消费者的自我保护意识和保护能力普遍提高。

3．积极推进社会诚信的制度和机制建设。党的十六届三中全会的《决定》明确提出："形成以道德为支撑、产权为基础、法律为保障的社会信用制度。"这是社会诚信体系建设的三个基础要求和治本之道。共青团通过系统的组织优势，要维护生产和交换过程中法律法规的严肃性，促进产权制度的改革，在市场经济正常有序的发展中发挥积极的推动作用。同时，加快制定《青年文明公约》、《青年诚信宣言》、《中小学生诚实守信准则》等带有自律特色的青少年约章，作为创建先进文明集体和个人的依据，推动一代新人在遵守和实践基本信用规范的基础上，不断提高自身道德修养，追求更高层次的信用道德目标。还要在信用机制建设上进行创新。比如通过青少年信用记录卡、青少年信用联盟等形式多样的举措，综合运用行政、经济、舆论、信息等手段，强化社会信用的约束与惩戒。

4．深化诚信社会实践活动。在"青年文明号信用建设示范行动"、"青年自愿者服务"、"未成年人权益保护"等活动的基础上，继续向深度和广度拓展，在全社会形成广泛参与的良好态势。以实践目标、实践规划、实践措施、实践效果、实践评价、实践监督等为主要内容，建立诚信社会实践档案，定期进行评比检查，在科学化、社会化、系统化、项目化和特色化上下功夫。注意培养和树立一批在诚信建设方面作用突出的典型，通过社会媒体的广泛宣传，全面展示先进集体和个人的时代风采。强化管理和监督环节，联合行业主管部门，聘请新闻媒体及热心人士，对诚信创建活动的开展情况，进行经常性地检查指导，定期向社会发布结果通报，确保各项社会实践活动健康有序地开展下去。

5．夯实养成教育的基础。养成教育是家庭、学校、社区根据个体道德的生长规律，通过对受教育者道德行为进行有计划、有组织的反复训练，使之成为稳定的行为习惯，从而将社会道德规范内化为个体的道德心理结构，凝聚为道德品质的培养方法。社会诚信体系是由每个公民的诚信行为构成的，青少年正处于人生成长的关键时期，思想品德行为具有很大的可塑性，需要从小抓起，承接传统文化的精华，吸收人类文明的营养，制定

具有规范性和操作性的行为准则，通过日常大量的体验活动，养成诚信的意识和习惯。青少年社会诚信体系的建构要以家庭为基础、学校为龙头、社区为平台，形成"三位一体"的养成教育主线，共同整合各种资源，按照知行统一的原则，引导青少年一代自强、自立、自律，在成长过程中不断提高道德层次和水平。

6．抓好诚信建设的重点对象。大学生是青少年群体中的佼佼者，他们的思想道德水准和社会的诚信度，代表着时代的发展方向，并对整个民族的未来产生影响。要把诚信教育作为思想道德建设的重要内容，贯穿到大学教育的全过程和校园生活的各个环节，通过丰富多彩的社会实践活动提高他们的整体素质。青年企业家群体是市场经济大潮中正在迅速崛起的新一代生产经营者，通过树立"诚信形象"、"平等互利意识"、"规则意识"等针对性的教育，引导他们自觉遵守职业道德和职业规范，做到"诚信服务，守法经营，按质论价，童叟无欺"。党政机关的青年公务员在青年社会诚信体系建设中，居于核心的统领地位。通过建立目标责任考核机制，保证对社会公众的承诺，主动接受社会各界和舆论的监督，政务公开，程序规范，提高公信力，取信于社会，做诚信的表率。

7．充分发挥少先队组织的先导作用。共青团组织要带领少先队组织，在青少年社会诚信体系的建设中发挥打基础的先导作用。从小引导和培养未成年人爱祖国、爱人民、爱劳动、爱科学、爱社会主义，形成积极向上、文明礼貌、团结友爱、克己奉公、助人为乐、诚实守信的良好品德，确立为国家、为人民、为民族奋斗的志向，逐渐树立马克思主义的世界观、人生观和价值观，不断增强爱国主义、集体主义和社会主义观念，培养与市场经济相适应的道德观和道德规范，为将来走向社会做好准备。少先队组织要充分利用学校社会两个空间优势和校内校外两个时间优势，通过各种文化阵地和互动平台，实施实践教育、体验教育，在家庭生活、学校生活、社会生活和大自然中陶冶道德情操，明白诚实诚信做事做人的道理，增强辨别是非、美丑、善恶的能力，成长为新世纪的"雷锋式"好少年。

8．**深入展开诚信理论的跨学科研究**。社会诚信体系的建设，需要得到理论成果的支持。这些理论涉及到哲学、法学、政治学、经济学、文化学、教育学、伦理学、社会学、心理学等社会科学领域里的诸多学科，需要以课题为导向，组织不同学科的专家学者，展开跨学科的交叉研究，并与实际工作紧密结合，更好地为社会诚信体系的建设服务。诚信理论研究的主要内容包括：（1）马克思主义经典作家以及毛泽东思想、邓小平理论、"三个代表"重要思想关于诚信理论的论述；（2）中国传统文化中诚信思想和诚信修养的总结；（3）西方经济学家关于市场经济条件下诚信制度建设的法律政策机制和社会监督理论；（4）新世纪新阶段我国社会诚信体制建设的理论与实践研究；（5）共青团组织及青年团体和少先队组织在社会实践中培养诚信青少年团队的经验总结，等等。

9．**加强领导和协调工作**。青少年社会诚信体系的建构，涉及到不同领域众多行业的方方面面，是一项长期的循序渐进的社会系统工程，领导和协调是其中两个关键的环节。共青团组织既要积极参与社会诚信大系统的建设和活动，又要在子系统中发挥青年社会诚信体系建设中的主导作用。联合行业主管部门及相关单位，组成涉及多方参与的指导协调委员会。首先，要制定目标和规划。从实际出发，根据需要与可能，对近期和中、长期的发展安排提出明确的要求。其次，职责和分工明确。统一部署，各尽其责，相互配合，共享成果，使工作流程达到良性循环。其三，加强监督检查。对开展的各个项目和各项活动，定期评比检查，并通过多种渠道随时进行监督，发现问题及时解决。其四，实施青少年信用建设的长效机制和奖惩机制。制定规范细则，严格评比程序，使奖励惩戒做到经常化、制度化。

作者单位：共青团辽宁省委

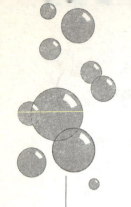

李 亚

坚持实践育人　促进知行统一

　　一个孩子是一个家庭的希望；亿万孩子的健康成长，是全民族的希望。共青团、少先队是少年儿童学习共产主义的学校，肩负着培养造就一大批中国特色社会主义事业建设者和接班人的光荣职责和神圣使命。在加强和改进未成年人思想道德建设工作中，充分发挥团队组织的自身优势，把千千万万未成年人培养成为强大的后备力量，就要充分尊重未成年人的主体地位，正确把握未成年人成长的基本规律，坚持实践育人，促进知行统一，在实践中培育有理想、有道德、有文化、有纪律的一代新人。

一、坚持实践育人，是遵循客观规律的基本要求

　　1.坚持实践育人是遵循教育规律的客观要求。道德是调整人与人、人与社会之间相互关系的行为准则和基本规范。开展道德教育的过程，实质上就是受教育者个体思想品德的社会化和社会思想道德个体化的过程。道德教育的规律提示，在道德养成中，总是先有道德认知，才有道德行为，即所谓"知者行之始，行者知之成"。但是，道德认识又不同于其他认识，它

必须体现为行为，才能赢得认可，没有道德行为，等于没有道德，即所谓"不行不为真知"。有了道德知识并不一定就能做出符合道德的行为选择，它们之间不是一种简单的线性关系，而是知情意行综合作用、和谐发展的复杂过程。道德认识要外化为自觉的道德行为，不可或缺的一个中间环节就是道德实践。只有在实践中，正确对待各种困难和不良诱惑，形成坚强意志和优良品德，才能使道德认识、道德情感、道德意志、道德行为相互衔接，相互印证，实现知行统一，达到完美结合。

　　实践的观点又是马克思主义认识论首要和基本的观点。也正是从这一观点出发，我们党的三代领导核心都始终把人民群众改造自然和社会的伟大实践，看作是青少年成长的丰厚沃土，谆谆告诫广大青少年要始终不渝地走与实践相结合、与人民群众相结合的成长道路。胡锦涛同志特别要求"广大青年要自觉把个人的命运同祖国和民族的命运紧紧联系在一起，把个人的理想追求同全面建设小康社会的伟大事业紧紧联系在一起，自觉服务祖国，无私奉献社会，艰苦奋斗，不懈进取，在火热的社会实践中创造出无悔的青春、永恒的青春"。走实践成才之路，是未成年人健康成长的惟一正确选择。

　　教育作为人类文明传承与发展的重要手段，经过长期积累和总结出来的一些规律性的认识，历来是指导后人搞好教育工作的宝贵财富。无论是从我国古代教育家孔子早就提出的"循循善诱，因材施教"、"知行统一，注重践履"、"知之者不如好之者，好之者不如乐之者，乐之者不如行之者"的教学古训，还是到"讲得一事，即行一事；行得一事，即知一事"、"纸上得来终觉浅，绝知此事要躬行"等等的人生格言，都始终强调实践教育是强化品德教育、促进知行统一的有效方法。我国现阶段的教育方针也明确要求：教育要为社会主义建设服务；教育要与生产劳动相结合；教育要促进个人全面发展。"走出教室一步，就意味着对学科的超越。"将课堂知识与实践体验结合起来，无疑是变知识为能力，化认识为行动的基本途径。

　　2.坚持实践育人是遵循未成年人成长规律的必然选择。从未成年人的

成长发育来看，7到18岁是他们实现由自然人向社会人过渡的主要时期，是学习掌握社会规范、萌生发展个体道德意识和道德情感等道德要素的关键阶段。抓住这个关键期进行道德习惯和道德实践的养成教育，不仅可以收到事半功倍的效果，也将会养成良好的道德行为习惯，终身受益。否则，错过了这个关键期，就会事倍功半，甚至终身难补。加强和改进未成年人思想道德建设时不我待。

从当代未成年人生长的时代特征来讲，他们生活在改革开放、加快发展的时代，新思想、新事物不断涌现，传统的道德观、价值观受到冲击，思想空前活跃，价值取向、行为方式日趋多元。特别是随着我国与世界交流不断加强，一些西方发达国家，通过各种渠道对我国未成年人进行思想文化渗透，他们的成长时期经历着世界风雨的洗涤。加强和改进未成年人思想道德建设任重道远。

从未成年人的个性特点来讲，其形象思维占据主导地位，尤其需要不断获得需求的满足和成功的激励，需要自身主体的参与和积极的内心体验，其自身体验过程，也正是做出判断、做出选择、化"知"为"行"的过程。既重视课堂教育，又注重实践教育、体验教育和养成教育，帮助引导未成年人在实践中形成坚强意志和优良品格，是加强和改进未成年人思想道德建设的必然选择。

3.坚持实践育人是防止"学而不用，知而不行"的有效途径。在我国教育普遍存在由应试教育向素质教育转变的过程中，未成年人的思想道德教育确实存在一种"重说教"、"轻实践"，"知""行"脱节、"说""做"不一的现象。产生这种现象的原因是多方面的，其中固然有复杂的社会因素影响，有沉重的升学压力所迫，更与校外教育、社会实践的缺少或者不甚丰富密切相关，致使未成年人并没有把思想品德的内容内化为自身的道德言行。随着素质教育的推进，迫切要求团队组织充分发挥自身优势，把校外教育作为校内教育的重要补充、家庭教育的有效连接，抓住其适合未成年人年龄特点，设计开展具有较强实践性、趣味性和灵活性特征的主题活

动，充分整合利用各种人力资源、物力资源、社会人文景观资源，让未成年人在闲暇时间内、在现实生活情境中，亲身感受和实践，通过自我发现、自我认识、自我感悟、自我教育，做到说话心口一致，办事知行统一，为人表里如一，实现理论和实践的有机结合，促进整体素质的全面提高。

二、坚持实践育人，是实践经验的客观总结

实践育人是共青团、少先队组织的工作传统和基本经验。长期以来，各级团队组织坚持把未成年人思想道德教育的内容和目标有效地融入到各类实践活动中去，体现于团队活动的各个环节之中，使未成年人在丰富多彩的寓教于乐活动中陶冶了思想情操，锤炼了意志品格，升华了道德境界。

1.以体验教育为基本途径，帮助未成年人在实践中树立正确的理想信念。体验教育强调用心去体验，用心去感悟，并在体验中认识事物、形成观念、规范和矫正行为。针对现阶段的未成年人多是独生子女、家长对他们众星捧月、呵护有加的现实，各级团队组织通过开展丰富多彩的体验教育活动，让孩子们接触社会、了解社会、热爱生活，树立正确的世界观、人生观和价值观。例如通过"雏鹰争章"、"五自"竞赛、"五小"发明创造、保护母亲河、"新世纪我能行"等活动，培养了他们的责任意识、环保意识和创新精神；通过建立少年军警校、"红领巾监督队"、"红领巾一条街"，设立校内卫生岗、礼仪岗、小法庭、红领巾广播站等形式，增强了他们的实践能力和纪律观念。正是在这些扎实有效的体验教育活动中，在与大自然的零距离接触中，弥补了课堂教育和书本知识的不足，使广大未成年人认识了人与自然的关系，明白了"做人""做事"的道理，提高了判断是非的能力，把握了人生的正确方向。

2.以道德实践为重要环节，引导未成年人在实践中弘扬培育伟大的民族精神。在道德实践活动中突出对未成年人进行弘扬和培育民族精神教育、

诚信教育和文明行为习惯的养成教育，一直是团队组织常抓不懈、贯彻始终的重点工作。多年来，通过广泛开展中学生实践教育、十八岁成人仪式、中学生素质拓展计划、"青春晖映夕阳红"敬老服务和少先队员"手拉手"、"星星火炬代代传"、"民族精神代代传"和"实现美好蓝图、做好全面准备"等一系列主题鲜明、时代性强、符合少年儿童特点的思想道德实践活动，帮助未成年人了解了民族精神的丰富内容，感受了民族精神的伟大力量。与此同时，紧紧抓住健康文化对未成年人潜移默化的影响，借助团队组织特有的旗、徽、歌以及号、乐、服等形式，大力开展各种形式的科技、文化、体育、娱乐活动，坚持用先进文化、传统美德和快乐向上的集体氛围教育、感染少年儿童，不仅吸引了广大未成年人的积极参与，而且培养了学习兴趣，激发了创造活力。

3.以典型示范为重要手段，激励未成年人在实践中崇尚和学习模范人物的优良品德。未成年人最具"崇偶"心理，最富效仿行为，充分发挥典型示范的激励引导作用，是团队组织坚持实践育人的重要方法。通过队报、队刊、互联网阵地等向广大未成年人宣传介绍古今中外杰出人物和道德楷模的名言警名和道德故事，使未成年人提升思想境界，牢记良好的思想道德是为人处世之基、成就事业之本；充分利用各类博物馆、纪念馆、展览馆、烈士陵园等爱国主义教育基地、德育基地所蕴含的宝贵资源，抓住各种法定节日、传统节日、重大历史事件纪念日以及未成年人入学、入队、入团等有特殊意义的重要日子，集中开展参观、瞻仰、考察活动和主题宣传教育活动，引导未成年人了解革命先烈的丰功伟绩，了解我国的近现代历史，增强爱国主义情感，珍惜今天美好的幸福生活；特别是广泛开展的"达标争章"、"三好学生"、"十佳少先队员"评选等活动，在少年儿童身边树立了一大批可亲、可敬、可信、可学的道德楷模，使广大未成年人从先进典型的感人事迹和优秀品质中受到了鼓舞、汲取了力量。

4.以维护权益为基本保障，营造未成年人在实践中健康成长的良好社会环境。把解决未成年人的思想问题与解决实际问题相结合，维护合法权

益与促进全面发展相结合，强化服务功能与提高服务能力相结合，是团队组织坚持实践育人的基础。多年来，通过开展"一助一""多助一"志愿帮教、"心手相连"社区志愿者结对帮扶、"城乡少年手拉手"和"手拉手红领巾助残"等活动，架起了未成年人之间沟通的纽带、友谊的桥梁，培养了团结友爱、助人为乐、共同进步的思想品质；通过创建"青少年维权岗"、开展法律宣传和自护教育等活动，联合有关部门清理"黑网吧"、扫除"黄赌毒"、查处淫秽非法图书和音像制品，提高了未成年人的法律意识和自护能力，减少了诱发犯罪的消极因素，优化了社会环境，切实维护了未成年人的合法权益；各级青少年维权中心的建立，直接为未成年人提供法律咨询、案件代理等维权服务，探索出了一条运用社会化、法律化手段服务青少年的新途径。

三、坚持"三贴近"，创造新载体

社会在发展，时代在进步，未成年人的需求在提高。发扬团队组织实践育人的优良传统，总结团队组织实践育人的内在规律，构建团队组织实践育人的工作体系，即要牢牢把握以理想信念教育为核心，以弘扬和培育民族精神为重点，以塑造高尚的道德品质为支撑，促进未成年人的全面发展，更要把握新形势新环境下未成年人思想道德观念的新变化，创新实践育人的新载体，坚持"贴近实际、贴近生活、贴近未成年人"的原则，努力在突出"主体性"、"导向性"、"针对性"上下功夫，切实增强未成年人思想道德建设的吸引力、感染力。

1.贴近实际，突出未成年人的主体性。胡锦涛同志在全国加强和改进未成年人思想道德建设工作会议上特别强调："对未成年人要多尊重、多理解、多关心、多帮助，不能仅仅把他们当作教育和管理的对象"。这一精辟论述对坚持实践育人，做好未成年人思想道德建设工作具有重要的指导意

义。

　　未成年人天真烂漫，活泼好动，思维活跃，求知欲强，突出未成年人思想道德建设的主体性，就要贴近未成年人的思想实际，尊重他们的理智、情感和意志，关注他们的身体发育、知识增长和智能发展，让他们自学、自理、自护、自强、自律，做到关心而不替代、爱护而不包办、保护而不束缚；就要针对未成年人思想道德建设方面存在的突出问题，紧紧抓住影响他们思想道德观念形成和发展的关键环节，多用鲜活通俗的语言，多用生动典型的事例，多用喜闻乐见的形式，多用疏导、参与、讨论的方法，使实践教育的内容真正入耳、入脑、入心；就要经常了解掌握未成年人参加团队活动的真实体验和意见要求，不满意的分清事由原因，乐于参加的做好经验总结，真正获得他们的理解和支持，提高活动的互动性、可行性和实效性；就要尊重未成年人的基本权利，顾及他们的人格尊严，必要时拿起法律的武器，代表和维护他们的合法权益。

　　一代人的思想状况如何，往往受其所处时代经济社会发展的实际状况所决定，突出未成年人思想道德建设的主体性，就要立足当前全面建设小康社会、实现中华民族伟大复兴的最大实际，切实增强实践育人的感召力。既要引导他们充分认识中华民族的优良传统和光辉历史，从小树立民族自尊心、自信心和自豪感，使伟大的中华民族精神代代相传，又要使他们认识了解近代中国人民的不幸遭遇和屈辱经历，牢记"落后就要挨打"的沉痛教训，切实增强刻苦学习、提高素质、全面发展的积极性、主动性和创造性，进一步强化自身的责任感、使命感和紧迫感，为实现宏伟蓝图做好全面准备；既要引导他们正确认识我国正处于并将长期处于社会主义初级阶段的基本国情、省情、民情，继承和发扬艰苦奋斗、勤俭节约的优良品德，防止和纠正贪图享受、盲目攀比等不良行为，又要引导和教育他们正确对待前进道路上随时都会遇到的困难挫折，保持健康心理，磨炼坚强意志，塑造健全人格。

　　2.贴近生活，着力强化鲜明的导向性。听到的容易忘记，看到的印象不深，只有亲身体验，才会刻骨铭心。未成年人对于他们生活的大千世界，各有各的感知方式和认知视角，各有各的不同看法和认识结果。要使他们在所处的不同家庭生活、学校生活、社会生活和大自然中，自觉养成与社会主义市场经济相适应、与社会主义法律规范相协调、与中华民族传统美德相承接的社会主义思想道德体系，做家庭的好孩子、学校的好学生、社会的好少年、大自然的好朋友，对祖国、对社会、对自身拥有较强的责任感，就要强化投身实践的正确引导，让他们在实践中以自己的亲身经历和真实感受，养成良好的行为习惯，提升自身的综合素养。

在处理人与人的关系上，要正确引导未成年人以形成人与人平等友爱、团结互助、共同进步的观念为核心，亲身感受父母含辛茹苦的养育，教师呕心沥血的培养，同学伙伴和街坊邻里的互帮互助，普通劳动者默默付出的高尚情操和可贵品质，从而自觉形成孝敬父母、尊敬教师、尊老爱幼、尊重他人、诚实守信、文明礼貌、助人为乐的行为准则。

在处理人与社会的关系上，要正确引导未成年人以形成个人离不开群体、并应努力为公共利益服务的观念为核心，亲身感受到班集体、少先队、共青团和学校、社区、社会以及党和政府对自身成长的耐心帮助和无私关爱，感受到纪律、法律和法规对保障集体和社会生活正常秩序的必不可少和极端重要，从而自觉养成热爱集体、爱护公物、遵纪守法、服务公众的良好品质。

在处理人与自然的关系上，要正确引导未成年人以形成人与自然和谐相处、树立生态文明的观念为核心，亲身感受美好的自然环境所带来的心身愉悦，自觉养成爱护环境、讲究卫生、绿色消费、厉行节约、同破坏自然资源和生态环境的不良行为作斗争的行为习惯，踊跃投身到植绿护绿、爱鸟护鸟、保护母亲河、共建绿色家园的生态道德实践之中。

在处理人与自我的关系上，要正确引导未成年人以形成珍爱生命、健康生活、追求美好、乐观向上的观念为核心，亲身感受到成功的喜悦、生命的可贵、实现目标的快乐，自觉养成乐观开朗、珍惜时间、不怕困难、勇

敢顽强、自尊自信、乐于创造、健康向上的不懈追求，塑造健全、健康的心理和人格。

未成年人的健康成长始终离不开良好社会环境的熏陶。共青团、少先队组织要积极配合有关部门加强对社会文化市场的管理，加大对有害卡通画册、不健康音像制品、电子游戏、"口袋本"图书的打击力度和违规经营网吧的综合整治力度，深入实施"青少年违法犯罪社区预防计划"、"青少年网络文明行动"，贯彻落实维护青少年权益的法律法规，不断优化未成年人健康成长的社会环境。

3. **贴近未成年人，增强实践育人的针对性。**未成年人横跨小学、初中、高中三个阶段，又分别处在童年期、少年期、青年初期三个不同的成长发育时期，其认识水平、接受能力、性格特点存在层次差别，即便同一年龄段的不同个体之间也有很大差异，加上他们又分别学习、生活在不同家庭、不同地方，其生活习惯、文化背景、性格表现千差万别，各有不同。贴近未成年人，就必须根据他们不同地区、不同个性、不同阶段的发展特点，设计开展不同形式、不同层次、不同内容的实践教育活动，做到"因材施教"、"有的放矢"、"一把钥匙开一把锁"。

尊重未成年人之间存在的个性差异，坚持分层次、有步骤地正面引导。小学生自我意识水平较低，道德认识与道德行为容易脱节，人格发展受外部因素制约，尚处于他律状态，因此要重在体验教育，通过"雏鹰争章"、"少年军警校"、"民族精神代代传"和各种夏令营、冬令营、素质训练营、红色传统游、绿色生态游、蓝色科技游、现代文明游等活动，把深刻的教育内容融入到生动有趣的体验活动之中。初中生、高中生虽然自我意识逐步树立，道德行为走向自觉，但理想的自我与现实的自我往往分离，自我肯定与自我否定时常冲突，有时还会出现与现实相脱节的情况。因此在中学阶段，就要重在实践教育，积极探索开展14岁迈入青春门仪式教育、16岁居民身份证颁发仪式教育和普及规范18岁成人仪式教育活动，实施中学生素质拓展计划，开展公民意识教育、法制教育、志愿服务和生产实习、公益劳动、勤工助学、技能比赛等实践活动，使他们从中增强社会责任感，培养团队精神和创新精神，提高自我约束力，做到"习与智长，化与心成"。

面向全体未成年人，加强人文关怀。在未成年人的成长发育过程中，特别需要成年人的精心呵护和帮助，需要各级组织为他们的个性发展提供更多的人文关怀，营造良好的人文环境。团队组织和团队干部在工作中对未成年人要一视同仁，热情相待，平等交流，绝不居高临下，更不厚此薄彼。特别是对社会闲散青少年、流浪儿童和单亲家庭、困难家庭、流动人口家庭的未成年子女，更要多关心，多理解，多支持，通过开展"一助一"、"多助一"志愿帮教、"献爱心、送温暖"等多种形式，帮助他们增强"免疫力"，坚定自信心。

团队干部要做未成年人的知心朋友。团队干部是做未成年人教育工作的，与未成年人交朋友的过程，就是一个教育引导、促进提高的过程。团队干部要赢得未成年人的信赖和拥护，拉近感情，建立友情，毫无顾忌地敞开心扉、倾心交流，成为良师益友，就要提高自身素质。一要有"诚心"，真诚待人，乐于助人，充满关心，奉献爱心，以心换心；二要能"精心"，精通业务，博学多知，因势利导，有序推进，不厌不弃；三要能"安心"，安心本职，脚踏实地，任劳任怨，耐得寂寞，忍得清贫；四要有"恒心"，时时处处，方方面面，点点滴滴，严以律己，宽以待人；五要有"雄心"，不折不挠，勇于开拓，锐意进取，真抓实干，务实有为。道德惟有落实在人心，才能化为道德主体的自觉实践。只有具备"五心"修养的团队干部，才能成为未成年人的知心朋友，提升未成年人的道德。

4. 与时俱进，不断创新工作手段和活动载体。"孔融让梨"的故事在我国可谓家喻户晓，人人皆知。但在美国，也有一个广为流传的故事：兄弟俩为一个饼争执不下，请妈妈来分，妈妈只给了一个规则，并监督规则执行：即哥哥来切，弟弟先拿。中华民族自古就有"礼仪之邦"的美誉，"让梨"式教育我们定将继续进行；但在社会主义市场经济条件下，"分饼"式教育也势在必行。加强和改进未成年人思想道德教育，既要弘扬传统美德，

汲取精华，更要坚持与时俱进，不断创新。

勇于在思想观念上创新。牢固树立以未成年人为本的理念，多从未成年人的角度来思考问题、评价工作，既要引导他们自觉遵守社会准则，维护多数人的共同利益，又要尊重他们的个人利益，在强调德育"利他性"的同时强调德育的"利己性"，在宣传见义勇为精神、弘扬社会正气的过程中，帮助他们学会机智灵活，保护自己。

善于在工作方法上创新。改变以往一味地用成人的眼光、成人的标准教育引导未成年人的习惯做法，破除"强制性"、"指令性"、"单向灌输式"、"说教式"的旧模式，学会"参与性"、"指导性"、"双向交流式"、"诱导式"的新方法，眼睛向下，重心前移，把活动的内容、形式、方法、手段的具体选择权大胆地交给未成年人，充分调动他们的内在积极性，让他们根据自己的兴趣、爱好、特长进行自我选择和设计，从中自主自律、自悟自育。

学会在工作手段上创新。充分利用各类爱国主义教育基地、德育基地、实践基地所蕴含的宝贵资源，积极推进城乡"青年中心"、"青少年书屋"、社区"青少年之家"、"青少年读书俱乐部"等未成年人活动阵地建设，善于借助互联网络和手机短信等现代新兴媒体，努力构筑家庭、学校、团队和社会相互支持、相互协作的育人网络，拓展工作空间，丰富育人手段，创新活动载体，使广大未成年人在丰富多彩、心神愉悦的实践活动中自觉养成忠心报祖国、爱心献人民、关心送他人、孝心给父母、信心留自己的好习惯，好品德。

作者单位：共青团河南省委

夏学銮

青少年心理健康问题面面观

世界卫生组织关于健康"不仅是没有疾病和虚弱而已，而且是个体在身体上、心理上和社会上的完好状态"的权威定义说明，健康是一个综合性的概念，包括生理、心理和社会三个层面的含义。当前我国青少年的生理健康一般不会有什么问题，问题往往出现在心理健康和社会健康上。据了解，目前全国有3000万心理有问题的青少年，其中中小学生心理障碍患病率为21.6%至32%；大学生有心理障碍者占16%至25.4%。而且近几年又有上升的趋势。由于社会健康问题最终都要以心理健康问题的形式表现出来，所以本文主要讨论青少年的心理健康问题。

一、青少年心理健康的标志

青少年心理健康的标志表现为以下六个方面：身体健康、认知正常、感情成熟、人格健全、关系和谐和行为稳定。身体健康是心理健康的必要基础，但不是它的必然保证。除身体条件之外，心理健康还包括认知、感情、人格、人际关系和行为举止等方面的因素。

1.**身体健康**。身体健康是青少年心理健康的必要条件，其影响机理是生理因素和心理因素的相互制约作用。一个人身体上的任何生理变化都会影响其心理情绪的变化，就连女孩子初潮这种正常的生理现象都会引起她们心理上的恐慌，更不用说严重的生理病变了。相反，一个人任何心理情绪上的变化，都会影响其生理上的变化。大家都知道"望梅止渴"的典故和伍子胥过昭关一夜愁白了头的故事，这些就是心理情绪变化影响生理变化的典型例子。中医更有"怒伤肝，忧伤脾"之说，说明正常的心态对于保持身体健康的重要性。

2.**认知正常**。认知正常是青少年社会发展的前提条件，在青少年时代，孩子的社会发展主要表现为认识发展水平的程度。瑞士著名心理学家皮亚杰把年龄作为儿童认知发展水平的依据来分析儿童的道德社会化。他以7—8岁为界，把儿童的道德发展界定为截然不同的前后两个阶段，从前一个阶段到后一个阶段呈现出如下变化：道德约束从"他律"到"自律"，道德判断从看"效果"到看"动机"，道德惩罚从笼统性的千篇一律的惩罚到有针对性的采取不同方式的惩罚。他还根据儿童的认知发展水平，把青少年的社会化划分为感觉运动阶段（诞生—2岁）、前操作阶段（2—7岁）、具体操作阶段（7—11岁）和正式操作阶段（11—12岁及以后）。而且，许多精神健康问题，如情绪混乱和精神分裂，都有其认知的根源。所以，正常的认知发展是青少年心理健康的关键。

3.**感情成熟**。感情成熟是青少年最重要的发展任务，它包含两项内容：一是感情自治，即作为一个人成为自己情感力量源泉的能力，而不是依靠双亲来提供舒服、安心和情感保障；二是行为自治，即一个人做出自己的决定、管理自己的事务和照顾个人的能力。这两项自治是相互联系、相辅相成的，即完成心理上的断乳过程。随着感情的成熟，青少年逐渐摆脱"本我"的控制，知道并掌握由一定社会的文化所决定的感情表现规则，学会驾驭和控制自己的感情表达，让理性原则而不是快乐原理左右自己的行为。感情成熟既是社会化的目的又是社会化的手段。感情成熟，特别是儿童和双亲之间的情感依恋具有重要的社会化功能。

4.人格健全。人格健全是青少年社会化的重要目标，它不仅包括要在弗洛伊德"本我"的基础上发展出"自我"和"超我"；要顺利渡过埃里克森所界定的生命危机，发展出信任、自主、首创、勤奋和认同等人格特质；而且还应包括奥尔波特的"发展人"所具有的人格成长要素，即身体感、自我认同、自我强化或自尊、自我扩展、自我形象、理性自我和作为客体的自我七个重叠的阶段。奥尔波特认为，成熟人的动机不仅仅是追求快乐和减少痛苦，许多成人行为在功能上是自治的，即它追求在功能上独立于原初动机的目标。因为功能自治有两种，一是固有的功能自治，二是坚持的功能自治。固有的功能自治是功能自治的主要体系，像工作、吃饭、穿衣和睡眠等，它们涉及到与自我统一体有关的自我维持功能，是最高层次的功能自治；而坚持的功能自治，像酒瘾、烟瘾和毒瘾，它们并不是生理上的必需品，酒鬼继续饮酒，虽然他们目前的动机在功能上是与原初的动机相脱离的。同时，奥尔波特提出了成熟人格的六条标准：（1）非自我中心的自我延展和卷入；（2）自我和他人和睦相处；（3）感情保障或自我接纳；（4）现实主义的知觉；（5）见识和幽默；（6）统一的生命哲学。

5.关系和谐。关系和谐是青少年心理健康的充分条件。对青少年来说，关系和谐主要是指家庭关系的和谐，即双亲之间关系的和谐和子女与双亲之间关系的和谐。无数事实证明，破裂家庭充满更多的愤怒、仇恨和家庭暴力，直接影响着青少年的身心健康。双亲与子女之间的敌对状态，往往是造成青少年心理变形和人格扭曲，乃至导致一些青少年走上杀亲悲剧道路的重要原因。人际信任是人际关系和谐的润滑剂，公开、透明和信任的社会环境是青少年关系和谐的客观基础。人际关系缺乏或孤立的青少年多表现为自我封闭和退缩不前，极易从事迪尔凯姆所说的"利己自杀"。从某种意义上说，无论是在家庭还是在单位，关系和谐的主要责任不在青少年而在成人身上，因为成人掌握着机会和资源的分配大权以及标定青少年行为的话语霸权。从本质上说，青少年是无辜的，任何把青少年推向对立面

的做法都是野蛮和愚蠢的。

6. **行为稳定**。行为稳定是青少年心理健康的重要标志，它是身体健康、认知正常、感情成熟、人格健全和关系和谐的综合结果。行为稳定是以行为与态度之间的一致性和行为之间的连贯性为特征的。由于各种主、客观因素的限制，即使在成人中间有时也难免保证上述一致性和连贯性。说违心的话，做违心的事，这是在外界环境压力下的无奈之举，并非心理不健康的症候。但是，如果青少年也有这些言行不一、朝令夕改的行为表现，那么不是青少年生长的客观环境有问题，就是青少年本身的心理健康有问题。

二、青少年不健康心理的表现

那么，青少年的不健康心理到底有哪些表现呢？我认为，这种不健康的心理主要表现为：

1. **自私**。转型期以来的青少年，大都有程度不同的自私倾向。有人说自私是人的本性，与心理不健康无关。有这种看法的人，是受了"人不为己，天诛地灭"哲学的影响。其实，当人生下来时，他的自我概念如同一张白纸。经过无我有物、有我无物和物我整合三个阶段的顺序发展，儿童健康的自我概念才逐渐发展出来。由于家庭教育方式的不当和社会的消极影响，有些儿童一直停留在有我无物的阶段，并没有把主观和客观、自我和环境有机整合起来。这种由自我概念发展障碍所导致的自我中心意识在行为表现上就是自私和没有责任感。自私是不健康的自我观念，同时又是其他异常心理和行为的根源。

2. **任性**。任性是一种由本我决定的无规范心态和非理性行为，本我以快乐追求和需求的立即满足为特征，在行为表现上就是任性，即无拘无束、无法无天的状态。有必要把它与率性区别开来。率性而为表示天真，任性胡来则表示粗野。任性是率性的过度，和它的不足——敛性一样，都是恶

行的特征。敛性顺受不是成熟，任性粗野也不是天真。健康的人格包括本我、自我、超我三个组成部分，它们分别代表兽、人、神的品质。只有本我而没有自我和超我的人，实际上仍然停留在兽类的水平而并没有达到人类的层次，更不用说神的境界了。自我是人格中最理性化的部分，是健康心态的标志。

3.嫉妒。嫉妒是由自私所产生的一种狭隘的排他和仇他心理。嫉妒的人不能见到别人比他强，只要发现别人比他强，他就眼红，常有"既生瑜，何生亮"之感慨。由于青少年尚未形成正确的世界观、人生观和价值观，评价和判断事物常常以我划线，在嫉妒的心理基础上很容易走上拉帮结派、党同伐异的道路。英国大文豪莎士比亚早就告诫我们说："警惕嫉妒，它是开创恶例的绿眼睛怪物，这意味着它贪得无厌。"嫉妒往往是贪婪和不择手段的温床，它像盘踞在一个人心里的毒蛇一样，疯狂地吞噬着其人性中一切善良的东西，直至把这个人变成毒蛇，再去伤害他人。

4.叛逆。对青少年来说，叛逆是一种极端的逆反心理。从成都发生的"沈鹏弑母"案，到温州发生的砍死奶奶案，再到广东发生的少女杀死奶奶案，这些接二连三披露的杀害至亲的案例说明，一些青少年存在着严重的叛逆心理。这种叛逆心理产生于可怜的适应能力：经受不了批评、挫折和压力。从本能地任性胡来、我行我素，到不辨是非、不识好歹、以暴力抗拒家人管教，到糊里糊涂地走向死亡，就是叛逆性格的行为逻辑。一般而言，青春叛逆是青少年生命周期发展的必经阶段。但是在转型期的中国，这种心理危机已经演化成一种社会病态。它部分是不良家庭教育的自然恶果，多半是家庭—社会环境的无意塑造。一些青少年在家庭排行中独一无二的霸权地位，客观上使他们不仅不能发展出竞争观念、合作精神和责任意识，而且使他们很容易养成飞扬跋扈、专横残暴的性格。事实证明，这种具有强烈控制欲而适应能力又极差的孩子，走上社会遇到挫折就有可能走上暴力犯罪的道路：或从事自杀，或进行谋杀。其实，这两种极端行为的根子是一个：青春叛逆。这就是为什么在青少年自杀率上升的同时，谋杀率也

在上升的原因。

5. **浮躁**。转型期的中国，青少年存在着程度不同的浮躁心理。浮躁意指轻浮急躁，做事踏不下心来，没有耐性，见异思迁，好大喜功，充满"天上掉馅饼"的幻想，没有脚踏实地的艰苦奋斗精神，却存在着侥幸成功的奢望……凡此种种，都是浮躁心态的表现。浮躁是一种不健康的心理，但它还不是狂躁。狂躁是一种精神病态，需要临床干预。尽管如此，我们绝不能忽视浮躁这种不健康的心理对青少年的危害。因为它可能导致青少年为了侥幸成功而铤而走险，掉进违法犯罪之深渊。从某种意义上说，青少年的浮躁是由社会的浮躁传染的。社会少些喧嚣和形式主义活动，青少年的浮躁心态亦会减少。

6. **忧郁**。由于家庭变故或个人的不幸遭遇，或一些个人成长上的烦恼，一些青少年还常常表现出某种忧郁心理。忧郁是长时间处于一种郁郁寡欢、愁眉不展的心情状态。虽然莎士比亚说过"忧郁是狂躁的护士"，但忧郁本身并不是一种健康的心理状态。况且，临床经验证明，忧郁经常和狂躁结伴而行，有些人在一阵狂躁之后，接踵而来的便是忧郁。具有这二极情绪的精神病人比只具有躁狂症或忧郁症的单极病人更加难以治疗。对于一般的忧郁心理，英国诗人拜伦曾经这样描写它："忧郁坐在我身上，像伴随着天空的一块云，它不让一道阳光穿过，也不让一滴雨落下，最后，而是扩散它自己。它像人与人之间的妒忌——一种永恒的薄雾——扭曲天和地。"具有忧郁心态的人不仅在生活中没有阳光，而且影响其亲密人际关系的建立和自我评价。而且，与忧郁结伴而行的是自卑和自恋。

7. **自卑**。目前，相当一部分青少年存在着严重的自卑心理。自卑是自尊的缺乏状态，它和自尊的过度状态——自大——一样，都是不健康的心理特征。缺乏自信心，遇事退缩，怀疑自己的能力，稍有不顺利就打退堂鼓，甚至无端地萌发某种负罪感来，这些都是自卑的表现。按照埃里克森的观点，儿童和青少年的自卑是由不充分和不适当的社会化造成的。在婴儿期，如果他的需要都能得到及时的满足，婴儿感知到自己生活在一个安全的世界，他就会发展出对这个世界的基本信任感来。相反，他对这个世界的基本态度就是不信任。在此基础上，如果家长或其他监护人对其幼稚的动作、好奇的发问和创造性的冲动进行干预、嘲笑和限制，儿童和青少年就很容易养成怀疑、内疚和自卑的性格。对于自卑的青少年要倍加关怀和鼓励，家长和老师要多对他（她）说："你能行！"并让他们大声说出"我能行！"

8. 自恋。在自卑、自怜基础上发展出来的病态自我依赖。拉·洛克福库德说过："自恋是比世界上最善于欺骗的人更加善于欺骗。"他又说："自恋是最伟大的谄媚者。"《韦伯斯特辞典》把自恋界定为第六种贪得无厌的情感。具有自恋心态的人惟我独尊，惟我独存，爱惜自己达到病态的程度。只愿享受，不愿付出；只要求权利，不愿尽义务；只追求权力，不愿负责任；只相信自己，不相信他人；只爱自己，不爱他人……凡此种种，都是自恋心态的表现。具有自恋心态的人不能与他人发展出任何有意义的人际关系，容易陷入孤独之中。自恋和孤独，经常如影随形地伴随在一起。

9. 自残。指故意进行自我贬低或有目的地从事有伤人格尊严活动的一种行为心态，并不是指故意伤害其身体的自虐或自杀行为。例如，旧社会的相声演员为了生计不断进行自我嘲笑、自我贬低；自认为长得不够漂亮的女孩子给自己取个难听不雅的绰号；《罪恶的伊甸园》中所披露的某些另类女性，以自己的堕落行为来揭开某些上司的假面具，让其丑态百出……这些都是典型的自残行为。尽管自残的目的多种多样——抑或是为了进行自我保护，防御外界的攻击；抑或是为了进行报复，被认为是弱者向强者进行报复的现成手段。但是，无论哪种程度的自残，都是弱者的不健康心态表现，都不是最佳的选择，不足为训。因为它会使当事人永远生活在其自我设计的阴影之中。虽然这种自我设计可能是出于一种保护自尊的策略，但是它有可能变成一种自我实现的预言，由强烈自尊的动机出发，得到的却是意想不到的自卑结果。

10. 自杀。自杀威胁和自杀行为是当前青少年心理问题的集中表现。对

关注成长

于自杀威胁和自杀行为要进行区别对待，因为它们可能产生于两种不同的心态。为了对抗家长和老师的管教，一些青少年动辄以自杀相威胁，这种自杀威胁或自杀警告可能产生于以自尊保护为基础的逆反心理，其动机不是要死，而是为了更好地活。有部分自杀行为，可能就是这种自杀威胁或自杀警告失败的产物，把这种自杀行为简单地归因于青少年的悲观厌世或看破红尘是很不公平的。当然，有些青少年，特别是在破裂家庭中被边缘化的青少年，其自杀行为可能是由悲观厌世所致。但是，无论是作为一种手段的自杀，还是作为一种目的的自杀，都反映出一些青少年的心理健康出现了严重的问题。

三、解决青少年心理问题的措施

青少年的心理问题是青少年健康成长的障碍，影响着基础教育目标的实现，必须认真研究，妥善解决。青少年的心理问题源于青少年所面临的种种社会问题。根据这个基本的假设，为了保证青少年的心理健康和精神正常，我们需要制定一个家庭、学校、社区、传媒、公安、医院和社会工作教育机构相结合的一揽子解决方案，并在社区的基础上成立有上述单位人员和专家参加的并负有评估和转交责任的青少年工作团队，全面解决青少年在成长中的各种问题。为此，采取以下措施是必要的：

1.家庭关爱。家庭是青少年人性和理想的养育所。因此，家庭关爱对青少年的心理健康至关重要。缺少家庭关爱的儿童不会有高自尊，因为家庭关爱是自尊的第一个重要源泉。双亲和子女的关系对于儿童自尊的发展非常重要。以对 5—6 年级学生的家庭经历为基础，国外专家总结出促进高自尊发展的四种双亲行为类型：（1）在孩子的事务中表现出接受、慈爱、兴趣和卷入的情感；（2）对孩子的行为要坚定地并且是前后一致地行使清楚无误的限制；（3）在这些限度内允许孩子有一定的行动自由并尊重其首创精神；（4）运用不强制的纪律形式而不是从身体上惩罚孩子，否定孩子的特权并与其讨论理由。以上有利于促进儿童高自尊发展的家长行为才是真正的家庭关爱，是青少年心理健康的必要条件。

2.健康教育。如果说家庭是青少年心理健康的第一监护人的话，那么学校则是青少年心理健康的第二监护人。作为一个社会化的正式机构，学校不仅仅是传授知识的地方，而且还担负着对青少年进行价值灌输和健康教育等方面的重要任务。健康教育主要向学生传授人体生理、心理卫生和社会适应等方面的基础知识，使处在青春发育中的青少年知道自己身体上所发生的生理变化均属正常现象，消除恐惧、害羞或负罪心理，从而养成良好的生理卫生和心理卫生习惯；还要教给他们处理人际关系的技巧，学习尊重、服从和适应，把价值规范内在化。青少年的人际关系和谐了，其心情一定舒畅，身心必然健康。

3.社区照顾。社区是青少年心理健康的第三监护人，英国社区照顾的对象是三种人，一是老年人，二是青少年，三是残疾人。青少年的社区照顾是社区对青少年身心健康成长所提供的全面关怀。它不仅为青少年的健康成长提供完善的社区环境和充分的活动设施，而且对第一、第二监护人的职责进行监督。如果发现家长有虐待青少年身心健康的行为，就马上进行社区干预：按照相关法律，或者把受虐待的孩子接到儿童照顾中心，或者为其找个"免费"的家，待他们的家庭情况好转、双亲真心悔改后再把孩子送回。如果学校中有人侵犯学生的行为，就马上进行以社区为基础的司法干预，社区法院会对当事人进行法律裁决，视情况给予不同的法律制裁。

4.传媒过滤。大众传媒对青少年的身心健康具有潜移默化的影响，绝对不可掉以轻心。特别是青少年喜爱的电影、影视和网络游戏，要充分考虑到青少年这一特殊受众群体的成长需要，不能为了票房价值，把暴力、色情、毒品和赌博这些不利于青少年心理健康的文化垃圾一古脑儿端给青少年。

5.社区警务。在社区建设实验区与示范区，出现了警察进社区、每个社区有社区警务室这样的新生事物。社区警务改变了过去警察站在青少年的对立面进行僵硬管理的局面，取而代之的是从青少年立场出发的人性化服务。这对改变青少年和警察的对立关系和青少年成长的社会环境，进而改变青少年的逆反心理具有重要的意义。

6.医疗跟进。社区医院和医疗站要完善初级卫生保健制度，对青少年定期进行精神卫生方面的检查和健康教育，提高青少年的卫生保健水平。对于那些有精神障碍或已发出自杀警告的青少年要进行24小时跟进护理，使之尽快脱离异常或危机状态。这些工作需要青少年工作团队成员的通力合作，才能有效完成。

7.外展工作。社会工作者要通过外展工作，了解青少年的成长环境、遭遇问题和目前烦恼，和他们交朋友，力所能及地帮助他们解决一些思想和心理问题。同时做其家长的工作，改变其教育方法，向社区及有关部门提出改善青少年工作的建议，帮助机构逐步实现青少年工作专业化和制度化的目标。

作者单位：北京大学社会学系

廖小龙　赵俏华

挫折教育的实施与讨论

　　每个人都有承受挫折的能力，我们需要挖掘它而不是遮蔽它。培养抗挫折能力需要由小到大，由弱到强地刺激、锻炼一个人的承受力。青少年遇到了挫折，我们应该让他接受疼痛，不能用虚幻的爱心去麻痹他。但在教育方式上，应更现实些，奖惩分明，不姑息错误，要进行真实的挫折教育。

一、学校的挫折教育如何实施

　　挫折普遍存在。当我们正视挫折，用积极的态度分析、理解、处理挫折并从挫折中走出时，就完成了挫折教育的一个时段。当我们回避挫折，采取自暴自弃、迁怒他人、报复社会、破坏公物、向环境发泄不满以寻求心理上的平衡时，这就是挫折引起的心理和行为上的偏差，称之为挫折危机。

　　现行教育制度中存在着某些误区，我们培养出来的学生在心理、性格上有着明显的缺陷：有追求却过于理想化；愿奋斗又经不起挫折；重视方

法但忽视吃苦耐劳。因此专家、教育工作者、家长们疾呼，我们的素质教育中缺少了挫折教育。那么学校如何来对青少年进行挫折教育呢？

1. 留心观察学生的情绪状态，及时发现学生遭遇的挫折并评估其强度，根据学生的年龄、心理承受力、性格特征做出决断：或干预或等待。青少年学生经常遭遇的挫折是：考试成绩的大幅波动；家庭环境的变故；早恋的情感纠葛；师生之间的不合作造成冲突等。当他们遇到这些问题，能自己从挫折中走出，我们就静静地观察，这样对他本人更有益处；当他们情绪行为明显反常不能自拔时，教师、同学、家长就要及时帮助、疏导、激励、关爱。在这个过程中教师的关键作用是发现挫折并拿出处理方案。

2. 要有适当的惩罚制度。对学生而言"惩罚"这两个字似乎太刺耳，有悖于时髦的爱心教育、情感教育。但我们现行的教育体制和内容最大的弊端就是离现实社会太远、过于理想化。奖励与惩罚是相辅相成的，没有处罚制度下的奖励与没有奖励制度下的惩罚一样都会给学生的成长带来偏差。一个学生迟到、早退、旷课我们做了无关痛痒的说教后完事，他进入公司后或许因此而被罚工资或者除名，这种挫折能否在学校"预演"而在社会中避免呢？接受惩罚、处罚可以锻炼心理承受力，为今后从困境中走出打下基础。这是挫折教育的一个组成部分。

私塾教育的惩罚是用戒尺打掌心和屁股，我们称之为体罚。不过可以看出打的部位是有选择的，不会伤筋动骨、破相，有疼痛感而已。现在如何进行惩罚有待探讨，一个原则是要适度、有益于学生的健康成长。

3. 不拒绝平庸。毫无疑问，树立远大理想可以使人增强抗挫折的能力，但另一方面，期望值越高，遭到挫折时的打击就越大。2002年世界杯足球赛，赛前被普遍看好的法国队第一轮被淘汰，对观众来说是一大冷门，对法国队来说是一大挫折。而中国队第一轮即出局则是在大家可以接受的情理之中。

望子成龙是中国家长的共同心愿，但现实生活中只有极少数是成功者，绝大多数人是平庸的，很多人奋斗了付出了却没有成功。有些挫折不是"摔倒了，爬起来，继续往前走"能解决问题的，不承认这个现实，挫折将伴随你一生，而且会越陷越深。现在的社会就是一个竞争的社会，有竞争就会有失败，期望值越高，付出越多，失败时挫折感就越强。当我们的目标无法实现时，现实些，就做一个平庸的人，做一个勤劳、守法、自食其力、有正义感、有同情心的人。

4.锻造坚强的意志。坚强的意志是体现一个人抗挫折能力的重要标志。人的意志总是和克服困难、战胜挫折联系在一起的。意志可表现在克服外部挫折，如家境贫困能够求学不止、环境嘈杂可以专心读书；也可表现为克服内部挫折，如摈弃惰性潜心钻研、对追求的目标锲而不舍。苦难的磨砺可以锻炼人的意志，坚强的意志又可以使人承受挫折、战胜挫折。

一个人的意志强弱与他的体质、成长环境、个人遭遇、对生活的理解、抱负、受到的教育等诸多因素有关。在这方面，家长和教师能够做的是：不溺爱孩子，给他们信心，鼓励他们有始有终地做力所能及的事；做错了事不姑息迁就，教育他们拿出勇气接受批评改正错误；能够达到的目标绝不中途放弃；督促他们常年不懈地锻炼体质……一句话，给青少年少一些保护，多一些独立思考和生活自立。

5.鼓励学生合群、互助。在一个群体中，帮助别人也就是帮助自己，走进社会，朋友、同事的互助也是战胜挫折的极为重要的手段。学生是一个特有的集合体，他们来自不同的社会阶层，有着不同的家庭成长环境，经历着不同的个人挫折，更存在着不同的个性特征，对挫折的承受力和对挫折的理解有非常好的互补性。实在地说，就一个群体（如中学生）而言，教师对挫折的承受力未必就比学生强。我们常常看到学生受了挫折，同伴们更利于帮他走出困境。同学之间的相互倾诉，可以释放郁闷的情绪，缓解受挫带来的痛楚，也可找到解决问题的方法。老师在这方面需要做的是，教育学生合群、互助、有同情心。

6.流行的问题经常讨论。选取在近期发生的一些典型的挫折危机事例，定期在主题班会上讨论。如《大学毕业生找工作遇挫折发狂袭人》(《华商

关注成长

报》，2002年3月21日）；《面临中考压力大　五女生结伴出走》（《楚天都市报》，2003年3月31日）。把他人的经历拿过来做一次思想、情感间接体验，相当于学生从电影上理解战争、从报纸上了解社会一样，虽然还有一定的距离，但由于集体讨论是多视角的，在遇到类似问题时，肯定什么、否定什么、怎样解决，都会提供多种缓释危机的通道，避免做出偏激的举动。

二、几个模糊问题的讨论

1. 可以设计挫折环境教育学生吗？答案是否定的。挫折伴随人的一生，有大有小、有长有短，不需要人为设计，只要我们留意，随时都可进行挫折教育。而任何一个人为创设的事件，结果都是已知的，至少是逃不出某个范围，在心理上不会造成受挫的感觉。况且，人的个性特征千差万别，一个事件，对甲是挫折，对乙就不是挫折，但对丙就可能要跳楼。比如：学生考试时作弊被发现，对甲生进行批评以后，他能接受并乐于改正；对乙生来说这是家常便饭无所谓；而丙生是性格内向爱面子的女孩，经不起当众批评。

为了教育儿童，有人这样设计了挫折环境：先在家中跟小孩说，到外面如果和大人走散了，应该找警察。然后某次外出，有意躲避孩子。小孩找不到大人时，先是惊奇，后是大哭，最后想到找警察。在他快找到警察时，大人出现在他的面前，这时可以问他发生了什么事，当时是怎么想的。这种偶然、个别的挫折设计有它的积极意义。但若推而广之，类似的事件（不一定是与大人走散）多次在同龄孩子中发生，必然会让孩子知道一些蛛丝马迹，放松心理防备，遇到真的挫折，反而无所适从，那时"狼真的来了"。

2. 挫折教育≠吃苦教育。吃苦是不得已而为之，挫折是不知道而遭遇。有人为了让青少年吃点苦，专门组织所谓吃苦夏令营，其实这种夏令

营是无法给孩子挫折感的。首先，将要发生的事件基本上是已知的，吃苦呗，体验一下。其次，吃苦的幅度是组织者设定的，一定是在参与者可承受的范围之内。最后，时间是短暂的，再苦再累终会很快结束，回家以后依然是小皇帝。甚至有人还把它当作一次有趣的经历对待。其实吃苦大可不必舍近求远，就从身边做起，例如帮家里分担一些家务、利用休息日做一些社会公益活动等。只要能持之以恒，吃苦精神得以锻炼，个人的意志、品格也得到了磨炼。

常听到这样一些议论：现在的孩子没有吃过苦，经不起挫折。不对，苦是吃了，不比任何一个年代的孩子少。从初中到高中，开设的课程有十种之多，做过的试卷是教材厚度的几倍。中考高考压得学生喘不过气来，勤奋的学生晚上十点钟睡觉是幸运的。但恰恰是这部分学生，最经不起挫折。他们钻进另一个世界的时间太久，处于一种自我封闭状态。他们过于好强和自信，习惯在表扬夸奖中生活。当遇到挫折时，却又不能接受现实，由好强转变成脆弱，由过度自信滑向自卑。换句话说，他们缺少一个正常人对生活的多重体验，这就形成了一种不健全的人格。这就像一个人偏食一样，结果导致营养的不全面，机体的抗病能力就要减弱。吃苦，或者我们称之为劣性刺激，就是要体验生活的多样性、人生的真实性，不在虚幻的世界兜圈子。

3. 挫折教育不是成功教育，抗挫折最根本的是要使人恢复常态，不出偏差。挫折教育实际上是一种挫折经历的直接或间接的良性体验。至于从挫折中走出以后，是继续奋斗还是另换目标抑或是隐居山林，那就不是挫折教育要解决的问题了。在进行挫折教育时，需要的是冷静、理智和现实，价值观和理想是教育的另一个方面。

作者单位：武汉市第十中学

王立科

生命美育：青少年教育的一个重大课题

一、不仅要学会生存，而且要学会审美地生存

不少学者认为："审美教育是我国所有教育环节中最为薄弱的环节。"而笔者认为"生命美育"则是"这一最为薄弱的环节"中人们认识最为不足的，而恰恰极其重大的一个课题。

何谓"生命美育"？答曰：使受教育者认识并实现其生命的美感形态和生命审美的价值。

近年来，尽管我们十分强调素质教育的重要，却忽视了生命美育在素质教育中应有的定位。事实上，社会环境对于青少年如何优化生命、美化生命，做一个真正意义上大写的"人"，是存在着诸多弊病的。总而言之，其是源于后工业时代带来的人的生存状态的非美化，并由此造成对人的人格心理结构的破坏；分而言之，其表现林林总总，不一而足。譬如，应试教育仍然是奥林匹斯山上的宙斯，主宰着绝大部分的教育形态。以考试定成败、以分数划良莠的教育制度，给青少年带来心理上的重压并造成他们人格的异化，以至于演绎出"逆子"弑母的人寰惨剧。从家庭教育的角度

看，"独生子女"由于备受父母长辈过分的呵护和太多的溺爱，加上人际交往的贫乏，致使他们更容易滋生自私、自大的心态，从而造成心灵的扭曲和人格的分裂。而大众文化又借助现代传媒和商业化运作，迅速占据了主流文化、高雅文化应有的空间。对暴力凶杀、色情吸毒、颓废变态的渲染，正一步步恶化着青少年社会化的文化环境，成为青少年漠视生命的重要原因。其结果是毁熊者有之，自戕自杀者有之，更为严重的则是在西方世界时有所闻的校园枪杀案。这一切，无异于一声声警钟，警示我们生命美育应该成为青少年教育的重大课题。那就是，在新的世纪里，人类应该如何审美地生存，应该如何将我们的后代培养成审美生存的一代新人。"人最宝贵的是生命，而生命属于我们只有一次"。青少年更如"早晨八九点钟的太阳"，是人类明天的希望和未来的辉煌所在。因此，重视青少年的生命质量、提升青少年的生命强度、优化青少年的生命意识的生命美育，切切实实关系到国家发展、社会进步和民族兴盛。由此可见，在新的世纪，我们不仅要教育青少年学会生存，而且要教育他们学会审美地生存。这就是生命美育所肩负的光荣而艰巨的任务。

二、生命美育：对青少年的思想关怀和人文帮助

青少年时期是人生的朝阳期，又是对生命认知的迷惘期。青少年未经沧海，无法深切体味生命的美好，感悟人生的意义和价值。因此，及时地补上生命美育这一课，对青少年来说既是思想关怀，又是人文帮助。而生命美育之所以能够充当如此角色，完成如此重任，乃是因为：

1. **生命美育能够帮助青少年实现人格心理结构的完善。**众所周知，当代青少年正处在物质生活更趋富裕，而人的生存状态却越发非美化的两极发展的漩涡之中。在物质更加丰富的同时，人类面临的是自然生态的不断恶化，工具理性的膨胀，拜金主义和物欲的盛行，以及精神疾患的蔓延。当

年席勒认为，工业社会把人"束缚在整体中一个孤零零的断片上，人也就把自己变成一个断片了"。在这样的社会里，"人就无法发展他生存的和谐"。而在当代，席勒所描述的"断片感"正在变本加厉地上升为恐惧感。诚如奈比斯特所言，在现代新技术条件下，"工人觉得自己的工作失去人性，自己像个机器人。工作变得令人恐惧地千篇一律：工人每天从一个终端机那里领取任务，然后几乎整天做单调的控制工作。"在一个无法和谐生存，甚至于"失去人性"的环境中，最显而易见的是人们的人格心理结构的被损。而青少由于身心发展的缺陷，人格心理结构的破损尤为严重。对于这种状况，托夫勒插述说，心理危机"在一个混乱分裂和对未来捉摸不定的美国社会中到处蔓延"，"足足有四分之一的人，情绪受到某种形式的打击。"其结果是："千百万人病态狂的冷漠态度。"那么，我们可以拿什么去拯救青少年的人格心理结构，从而提高他们的生命质量呢？当年席勒开出的处方是："只有当人充分是人的时候，他才游戏（审美活动）；只有当人游戏的时候，他才完全是人。"我们不能不为席勒的睿智所折服。因为他告示我们人类只有在审美活动中，才能感受生命美感的形态和生命审美的价值。这是由于在审美活动中，无论何种形态的审美对象，总是以其完整性、丰富性、有机统一性而具备了典型的完善的生命形式，体现了生命本质！对此，马尔库塞开出过类似的处方，他说："美具有遏止攻击性力量：它阻止和牵制着攻击者。"不言而喻，人格心理结构的缺损，很容易转化成一种攻击性力量，成为破坏别人以及自我生存状态的内因。而审美对这种攻击性而言，恰恰是一帖最好的解毒药。因为在真正的审美活动中，主体与对象的合一是一个漫长的审美心理过程。这一过程中，主体生命实现了与对象相同构、相一致的丰富性、完整性、有机统一性，获得了一种具有节奏性、平衡性、和谐性的完善形式。这种形式的作用使人的感觉、知觉、想像、情绪、情感、思维、理解等各种心理因素，处于自由和谐的状态，进而使主体的人格心理结构趋向完善。这也就是为什么后现代工业社会，技术越发达，物质越丰富，而青少年的人格心理结构和生命状态反而越不理想，因而对于生命美育的召唤也因此越见迫切的原因。

2．生命美育能够培养青年仁爱的情感。生命美育归根到底是审美教育，而审美教育的本质是情感教育，因为审美活动的本质体现为情感活动。可以这样说，生命美育就是使受教育者在审美中感受生命的美，并且培养受教育者的仁爱的感情，从而关爱生命，关爱孕育生命、生存生命和延续生命的环境。俄国作家杜勃洛留波夫说过："我们的情感总是被生动的对象所引起的，而不是被一般的概念所引起的。"这种感情的最终指向是"爱"。因为美的本质乃是人的生命的感性显现。在审美活动中，主体的生命本质通过对象而得以关照、肯定。这自然会产生愉悦，引起主体爱的情感。因而，长期的审美活动必然有助主体形成爱心。生命美育就是通过审美教育，使受教育者生发爱心、宣泄仁爱的情感，并把这种情感投射到对象的过程。这一过程使得审美与爱心有着一种必然的一致性。所以，只有学会了审美生存的人，才有可能对自然的生命万物，对人类社会、人生充满着爱，才会去爱所认为美好的一切，同时深感自己被一切美好的事物所爱。这就是生命美育所要追求的优化生命、美化生命的境界。

3．生命美育有助于激发青少年的自我实现欲。黑格尔的"审美带有令人解放的性质"这句名言，正可以用来说明生命美育有助于激发青少年的自我实现欲。 无论是美的欣赏还是美的创造，都是主体在审美活动中，从由他自己所创造的审美对象中直观自身，通过对象主体发现自我的生命本质。审美所带来的愉悦，会刺激主体产生不断地、更深层地欣赏自我的欲望。当主体直观自身生命本质，并且欣赏它的绚丽灿烂时，那么他的自我实现欲便会勃然而发，这时人的生命张力能够达到最大的限度。所以，生命美育会让青少年对前程充满着美好的憧憬，对他周围的一切充满爱的情感，他会满怀追求地对待人生，按照审美的要求实现自我、创造自我。

三、实施"生命美育"的两点建议

生命美育既是一种审美教育,其实施的方法、途径就应该与美育通常的实施并无二致;借助自然美、艺术美、社会美的审美,通过学校、家庭、社会的途径来实施。所不同的是生命美育强调在美育中凸显人的生存方式、生活形态和生命质量的内涵,由此培养青少年认识生命之美的觉悟、追求生命之美的理念和创造生命之美的能力。生命美育作为一个社会教化的过程,需要学校、家庭、社会等共同构建。本文则主要就学校美育和社会美育中,实施生命美育的问题提出两点建议。

1. 把生命美育渗透到学校德育、智育、体育、美育、劳动教育的相关教学中。美的本质就是对象化显现主体的生命形式、生命本质,它外化为节奏、和谐、对称、齐一、多样化同一等形式法则。学校教育应该努力将这些美的原则贯彻到所有的课程实施之中。康德曾说过:"美是沟通道德和知识的桥梁。"生命美育从理论形态来讲,是要求青少年运用生命审美的意识,来实现生命个体的崇高化;从操作方式来讲,是要求青少年实行生命审美的实践,来体现生命个性的价值性。因此,其一,德育教学在培养学生崇高的道德品质,正确的人生观、价值观的过程中,要尤其突出人性之善、人情之真的教育,鼓励学生多多参加奉献爱心的社会公益实践。其二,智育教学是教育学生在探索"真"的过程中体验"美",在主体欣赏自我智慧之光的实践中,肯定自我,领略生命的精彩。因此,如果不能让学生感受到成功的喜悦和学习乐趣的教学是不足取的。其三,生命美育要求在学校教育中强化体育的地位,身心健康是生命之美最直观的感性显现,健美的体态、饱满的精神是青少年最引以为自豪的生命元素。第四,生命美育尤其强调艺术课程和语文等人文学科的重要性,因为这类课程是学校美育中与学生人格心理结构的构建、意志品质的培养和审美情感的陶冶最直接关联的重要课程(当然语文材料的选材一定要符合生命美育的要求)。

2. **优化生命美育的社会环境。**就社会环境而言，当前给青少年生命美育带来负面影响的主要是被大众文化恶化了的社会文化环境。按商业化运作需要，大众文化中越来越多地充斥着凶杀暴力、淫秽吸毒，以及表现人性残忍、自私、变态等丑陋内容，给青少年的生命审美带来十分消极的影响。笔者认为，净化文化空间主要是政府的职责。政府主管部门要贯彻"三个代表"的精神，正确贯彻党的文化政策，把握好文化选择的方向，健全文化法规，加强文化管理的力度。

正在笔者准备撰写本文的时候，传来了某省召开以学生自杀问题为主题的专项大型会议的消息。可见不可回避的现实已经把这个紧迫的社会问题，摆到了我们面前。应该说，改革开放以来，我国社会的生存空间和个体的生活环境是越来越好，人们的生活质量也蒸蒸日上。在这样的背景下，提出"生命美育"这个命题，使我们的下一代学会审美地生存，从而让他们的生命之花绽放得更加鲜艳光彩，自然就成为青少年教育者义不容辞的职责。

作者单位：上海青年管理干部学院

现象与个案问题研究

沈　杰

北京青年学生的消费心理与行为

——兼对上海、天津和广州青年学生的比较

一、前　言

　　改革开放20多年，我国人民生活总体上走过了温饱阶段，正在迈向小康和富裕。在城市，随着收入水平的提高，人们的生活质量意识也在逐渐增强，从而引起了消费心理的巨大变化，消费方式正在由节俭型转向享受型。

　　作为社会心理的一种独特表现，消费心理包含着两个主要层面，即消费观念与消费心态。消费观念属于较理性层面的内容，如消费理念、消费标准，它相对稳定，对其他消费心理方面能产生重要的影响作用，体现了消费心理的实质性内涵。消费心态则属于较感性层面的内容，如消费意愿、消费偏好，它处于经常不断的变化之中，其内涵表现了对社会现实生活更及时、更动态的反映。消费观念、消费心态及其所影响的消费行为，构成了人们日常生活的最为基本的层面。

　　消费心理，作为对于社会生活状况的一种认识、情感和意向，在一定程度上既是社会发展的"风向标"，同时也是时代精神的"晴雨表"，因此，

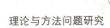

研究消费心理及其所影响的消费行为，也就成为分析社会发展状况和社会成员行动取向的一个重要而独特的视角。

作为一个重要社会群体的青年，一方面，他们的消费心理及其行为，既构成当前社会消费活动的一个重要部分，又将对未来社会消费领域的前景产生重要影响；另一方面，他们的消费心理及其行为，既是他们当前生活质量的重要体现，又将对他们今后自身的发展产生重要的导向作用。此外，青年的消费心理及其行为是研究青年发展最具有量化研究可能性，因而是最具指标量度性的领域之一。这一切都昭示了对青年消费心理及其行为进行研究的意义。

本文基于由共青团中央宣传部和中国青少年研究中心组织实施的"青少年流行文化现象研究"课题中"时尚消费"专题调查的资料。该项课题的研究对象为13—24岁的青年学生。问卷调查地点为：北京、上海、天津、广东省、云南省、陕西省。共调查了12所大学（文、理科大学各6所）、21所中学（9所重点中学、12所普通中学）。具体调查时间为：2002年6月10日至7月24日。共发放问卷3000份，具体分配额为：大学生1500份，中学生1500份；回收问卷2832份，回收率为94.4%，有效问卷2710份，有效率为95.7%。

有效样本的基本情况为：男性1288人，占48.3%；女性1381人，占51.7%。初中生641人，占23.9%；高中生649人，占25.8%；大学生1351人，占50.3%；独生子女1631人，占60.9%；非独生子女1047人，占39.1%。家庭所在地为城市1766人，占66.2%；家庭所在地为城镇399人，占14.9%；家庭所在地为乡村504人，占18.9%。

本文选取了北京、天津、上海和广州四个城市分层统计资料进行分析。四个城市的有效样本数为：北京527人，天津499人，上海438人，广州369人，占有效样本总数的67.6%。

二、作为消费心理基础的深层观念

消费心理受着具有价值观性质的更深层观念的影响，换言之，这些深层观念是价值观在现实层面的较直接表现形式，因此，对于消费观念与心态都具有着特定的影响力。只有了解深层观念才能了解消费心理，只有了解消费心理才能了解消费行为。

1. 金钱观念

金钱观念在反映价值观的深层观念中占有着独特地位，它可以在很大程度上影响着人们对社会生活本质的认识以及人生态度的形成，而在现实层面上它将直接地引导着人们的消费心理与行为。

（1）金钱与人生理想目标

对于金钱与人生理想目标之间关系的看法，构成了金钱观念的一个重要内容。而对于人生理想目标与金钱之间关系的判断成为当今人们生活中越来越无法回避的一个问题。对于金钱，北京学生中比例最大的人将它看作"人生追求的重要目标之一"，这表明，在今天市场经济条件下，青年的金钱观念发生了巨大变化。不是盲目崇拜金钱，而是正确看待并承认金钱在社会生活中应有的重要作用。这一点表现出了一种现代素质或者说现代人在金钱方面应有的健康心态。比例第二的人群视之为"人生追求其他目

表1 　　　　　　　　　　您对金钱的看法 　　　　　　　　（%）

态度 ＼ 城市	北京	天津	上海	广州	总体
人生追求的最高目标	4.8	3.0	4.4	3.5	3.9
人生追求的重要目标之一	44.8	42.3	53.1	49.2	47.0
人生追求其他目标所带来的产物	43.6	50.9	36.8	40.8	43.4
不清楚	6.9	3.8	5.7	6.5	5.7

标所带来的产物"，则表明作为把其他人生理想和追求目标看得比金钱更为重要的现代人，青年在心理需求方面层次正在逐渐上升、内涵正在日益丰富。而把它当作"人生追求的最高目标"的人，只占极小比例。

与北京学生所持态度比例排序相同的有上海、广州学生。天津学生中比例最大的人将金钱视为"人生追求其他目标所带来的产物"，比例第二的人把金钱看作"人生追求的重要目标之一"。天津学生对金钱与人生理想目标之间联系的认同程度相对偏低。

（2）金钱与事业成功标志

金钱是否可以成为衡量人们事业成功的标志，甚至是惟一或最重要的标志？这个问题同金钱与人生理想目标之间关系的问题具有内在联系。调查表明，北京学生对此的态度与对前一问题的态度极其相似，比例最大的人视金钱为"一个人成功程度的重要标志之一"，换言之，适当地承认了金钱的重要作用但又没有作出夸大；值得注意的是，比例第二的人表现出了极大的轻视态度，认为金钱"不一定能说明一个人的成功程度"，也许这种态度所要针对的不是金钱本身，而是获取金钱途径的正当性或合法性问题；仅有极少的人认为是"一个人成功程度的惟一标志"。

表2	在您看来，拥有金钱的多少，可以成为				（%）
态度＼城市	北京	天津	上海	广州	总体
一个人成功程度的惟一标志	4.6	2.0	3.9	2.4	3.3
一个人成功程度的重要标志之一	53.7	46.3	55.6	48.8	51.1
不一定能说明一个人的成功程度	35.4	49.9	35.7	43.9	41.1
不清楚	6.3	1.8	4.8	4.9	4.4

与北京学生呈现态度比例排序相同的有上海和广州学生。天津学生中比例最大的人认为金钱"不一定能说明一个人的成功程度"，比例第二的人将金钱看作"一个人成功的重要标志之一"。天津学生对于金钱衡量事业成

功的作用的认同程度相对偏低。

2．享受观念

当我们的社会发展脱离了温饱阶段，向着小康和富裕阶段迈进的时候，享受生活在人们的观念中日益受到重视，它似乎与勤奋工作、努力学习一起构成了人们生活的两个重要组成方面。然而，由此出现的一个问题是，应该如何把握好既重视享受又不一味追求享乐，换言之，提倡一种合理的享受观念变得尤为重要。

（1）关于最大程度地享受

调查表明，对于"要体现人生的价值，就应该努力追求眼前最大程度的享受"这一看法，北京学生中，四成半多的人表示不同意；约两成半的人持中性"一般"态度；表示同意的人仅占两成多。可以看到，大多数人并没有对过分强调享乐而且是即时享乐的观点给予认同。持中性态度的人占到一定比例，说明了在一些人心中对这种观点具有一定的两可倾向性。

表3　有人认为，要体现人生价值，就应该努力追求眼前最大程度的享受。对此您怎么看？ (%)

态度＼城市	北京	天津	上海	广州	总体
完全同意	7.0	3.6	5.5	5.7	5.5
比较同意	16.3	9.0	17.4	11.2	13.6
一般	27.7	22.7	24.3	24.0	24.8
较不同意	26.0	38.8	31.6	30.2	31.7
极不同意	20.5	24.5	17.6	25.6	21.9
不清楚	2.5	1.4	3.7	3.3	2.6

比较来看，其他三个城市学生所持态度及其表现程度也与北京学生非常相似。相对而言，在四个城市中，北京学生重视享受这种价值的倾向较

为明显，而天津学生则最不明显。

（2）关于即时享受

会娱乐才会（更有效地）工作，曾是以往一个时期中社会上流行的观念。由于工作、生活节奏的渐趋紧张，休闲放松对人们来说变得日益重要，现代观念对生活质量的重视，也自然会体现在享受观念当中。调查结果显示，对于"人应该即时享受"这种观点，北京学生中持肯定态度的比例（40.1%）高于持否定态度的比例（17.9%），持中性态度的比例近四成（39.5%），说明在学习、工作节奏高度紧张而生活条件较大改善的今天，青年一代对于享受的重要性给予了充分的肯定，但总体上又没有走向另一个极端。

天津学生中，赞同、不赞同、中性态度和"不清楚"者分别为29.9%、26.9%、42.2%和1.0%；上海学生中，赞同、不赞同、中性态度和"不清楚"者分别为46.3%、15.1%、34.9%和3.7%；广州学生中，赞同、不赞同、中性态度和"不清楚"者分别为29.0%、29.8%、38.0%和3.3%。比较而言，对于是否即时享受的问题，上海学生的赞同倾向最强，而广州学生的赞同倾向最弱。

总之，不追求最大程度的享受仍是学生中的主流倾向。但是，重视即时享受却得到大部分人的认同。

3. 经济自立意识

（1）"打工"意愿的强烈程度

由于向市场经济的转型，以及社会价值观念的变化，当今学生群体日益形成强烈的经济自立意识。调查表明，北京学生中，对于"如果有机会，是否愿意通过打工（多）挣点钱，补贴家用甚至养活自己"，表示肯定的人约七成半，表示"一般"态度的人不多，表示否定的人只占极小比例。

但是，比较来看，四个城市中，广州学生的上述意愿表现得最为明显，而北京学生的这种意愿显得最弱。

关注成长

表4　如果有机会，您是否愿意通过打工（多）挣点钱补贴家用甚至养活自己 （%）

态度＼城市	北京	天津	上海	广州	总体
非常愿意	45.8	57.9	53.2	61.4	54.0
比较愿意	28.6	25.8	24.8	22.5	25.7
一般	16.8	9.7	14.4	11.2	13.1
较不愿意	2.7	3.8	2.5	2.2	2.9
极不愿意	1.9	1.6	1.4	0.3	1.4
不清楚	4.2	1.2	3.7	2.5	2.9

（2）在乎"打工"的形式或实质？

在获得经济自立方面或者说在取得收入问题上，当今学生更注重的是实质方面，而不是形式方面。对于"如果愿意通过打工（多）挣点钱补贴家用甚至养活自己，对于打工形式的选择"这一问题，北京学生中表示"不在乎打工的具体形式，只要能多挣到一些钱就行"比例最大，选择"没太多想过"的比例也较大，而认为"只愿意选择体面一点的打工形式，即使挣到的钱少一点"的比例最小。

比较而言，四个城市学生总体上都表现出较强的务实性，而北京学生表现出的务实倾向最强。

表5　如果您愿意通过打工（多）挣点钱补贴家用甚至养活自己，您对于打工形式有选择吗？ （%）

态度＼城市	北京	天津	上海	广州	总体
只愿意选择体面一点的打工形式，即使挣到的钱少一点	25.8	30.9	26.4	32.3	28.7
不在乎打工的具体形式，只要能多挣到一些钱就行了	38.3	35.0	38.3	32.9	36.3
没太多想过	35.9	34.1	35.3	34.9	35.1

三、不同层面上的消费观念与心态

消费心理是一种有机的体系，不论消费观念，还是消费心态实际上都包括着不同层面的内容，其中最主要地可划分为两大层面，即社会层面与个人层面。那么，在这两个层面上，青年的消费观念或消费心态呈现出什么样的态势？

1．社会层面的消费观念

（1）社会的消费标准

在社会应有的一般消费标准上，对于"就目前我国发展水平而言，人们在衣食住行方面，应该把握的主要标准是什么"这一问题，北京学生中，主张"以经济实惠为主"的人占28.5%，如果说这部分人身上还多少留有某种程度的温饱型生活的影子的话，那么，主张"兼顾实惠和高标准"的人占54.9%，则表现了人们向小康生活迈进的期待与实力。而赞同"尽量追求高标准"的人占13.5%，说明一味地追求高消费还不是绝大多数人的要求。高消费既涉及经济实力，又涉及消费观念，还涉及"高消费"标准的变化问题。

表6　就目前我国发展水平而言，人们在衣食住行方面应该把握的主要标准是　（%）

态度 ＼ 城市	北京	天津	上海	广州	总体
以经济实惠为主	28.5	28.7	30.6	36.7	30.7
尽量追求高标准	13.5	5.0	7.8	6.3	8.4
兼顾实惠和高标准	54.9	64.5	57.1	52.3	57.5
不清楚	3.0	1.8	4.4	4.7	3.3

比较来看，四个城市青年对于上述问题的态度比例结构是一致的：选

择"兼顾实惠和高标准"的人数最多；选择"以经济实惠为主"的人数其次；选择"尽量追求高标准"的人数第三；选择"不清楚"的人数最少。

（2）"勤俭节约"精神的价值

就考察社会消费观念而言，对"勤俭节约"是否还值得提倡的回答将是一种较为深层的反映。在这个重视消费的时代，当追求高质量的生活越来越成为大势所趋，成为日常现实的时候，应该如何看待曾经长期作为社会主导文化所倡导的精神观念的"勤俭节约"？

调查结果表明，对"勤俭节约"作为一种精神观念，北京学生仍然加以很高程度的认同。有五成的人认为，在全社会提倡"勤俭节约""完全是一种美德，永远不会过时"；约三成的人认为"在一定范围内可以提倡""勤俭节约"；只有一成的人认为，在全社会提倡"勤俭节约""以前曾经有用，现在已经过时"。绝大多数学生对"勤俭节约"精神的充分肯定，表明以往社会主导文化倡导的这一精神观念在今天仍得到普遍认同，而作为一种具有道德规范作用的价值观念，它表现出了意识的一定独立性，即并不受人们生活富裕程度的直接影响而随之发生变化。

表7　　　　　　　　在您看来，在全社会提倡"勤俭节约"　　　　　（%）

态度　　　　　　　　　城市	北京	天津	上海	广州	总体
完全是一种美德，永远不会过时	54.0	62.2	53.0	56.9	56.6
以前曾经有用，现在已经过时	10.3	4.2	7.8	4.9	6.9
在一定的范围内可以提倡	29.5	31.0	34.5	32.7	31.7
不清楚	6.3	2.6	4.8	5.4	4.8

比较来看，四个城市青年对于"勤俭节约"的态度比例结构是相同的：比例最大的人给予了高度认同，比例第二的人给予了一定肯定，比例最小的人表示了否定。

2．个人层面的消费观念

一般而言，社会应有的一般消费观念是宏观层面的东西，个人应有的消费标准则是微观层面的东西。那么，在青年学生身上，这两个层面之间是否存在着实际的差异？

（1）个人的消费标准

北京学生中，他们所主张的社会所应有的一般消费观念，同样也体现在他们的个人消费活动中。对于"就您个人的情况而言，在衣食住行方面，您的主要标准是"什么？主张"兼顾实惠和高标准"的人数比例仍然最大，主张"以经济实惠为主"的人数比例仍居其次，可以说，节俭观念仍然在许多人身上保留着；"尽量追求高标准"的主张者比例较小，换言之，在消费标准上，青年对社会的要求与对自身的要求是一致的。

相较之下，四个城市青年对于上述问题的态度比例结构是一致的。

表8　就您个人的情况而言，在衣食住行方面您的主要标准是　　（%）

态度 ＼ 城市	北京	天津	上海	广州	总体
以经济实惠为主	33.0	39.1	34.7	43.4	37.1
尽量追求高标准	13.9	4.6	8.0	4.1	8.0
兼顾实惠和高标准	49.8	54.0	52.6	48.6	51.4
不清楚	3.2	2.2	4.6	3.9	3.4

对于个人层面的消费观念，从日常花钱的原则和消费决策的理性程度这两个特殊角度，可以作出较深入的透视。

（2）日常花钱的原则

在日常生活中花钱时首先想到的是什么，这个问题也构成消费心理的一个重要方面。北京学生对此的态度比例从高到低排序依次为：37.7%考虑的是"人是最重要的，钱该花就花"；31.4%认为"钱来之不易，能省则

省"；15.3%说自己"几乎什么都不想"；10.9%表示"心情很矛盾，说不清"；4.8%想的是"钱是身外之物，不花白不花"。可以看到，在如何花钱的问题上，最鲜明地表现出两个基本原则，即勤俭节约和为人服务。

比较来看，北京、上海和天津三个城市学生对于上述问题的态度比例结构是相同的。但在广州学生中，比例最大选择的是"钱来之不易，能省则省"；比例其次选择的是"人是最重要的，钱该花就花"；其他几项的比例结构与另外三个城市学生相同，就是说，广州学生表现出的"勤俭节约"倾向更加显著一些。

（2）消费决策的理性程度

高消费、超前消费和过度消费等不成熟的消费心理表现，在某种程度上都是与消费的非理性状态相关联的，所谓非理性状态，指消费既脱离个人的实际经济条件，同时也未受合理的消费观念引导。

在北京学生中，对于"只要我喜欢，价格再贵的东西我都会想办法买下来"这种情形，40.8%表示不赞同（其中13.6%"极不同意"，27.2%"较不同意"）；29.7%持中性"一般"态度；表示赞同26.6%（其中"完全同意"为8.8%，"比较同意"为17.8%）；另有2.9%表示"不清楚"。可以看到，在日常生活的消费决策上，青年中的主要倾向仍是较理性的态度。

相较而言，北京、天津和广州三个城市学生对上述问题的态度比例结构是相同的：最多的人表示不赞同，比例其次的人持"一般"态度；比例第三的人持赞同态度；最少的人表示"不清楚"。上海学生略显不同的是，虽然最多的人持不赞同态度，但比例其次的人表示赞同，比例第三的人持"一般"态度，最少的人"不清楚"。可以说，上海学生表现了比其他三城市学生较强的消费动机。

3. 名牌消费心理

不同层面的消费观念势必影响具体的消费心理。在当今青年中，名牌消费心理从一个十分独特的角度反映出他们的消费意向与偏好。

（1）对服装功能的认识

穿名牌服装是越来越多青年的心理需求。而这种心理又以对服装功能的认识为基础。对于"人靠衣装"这句话的合理性程度，北京青年中，12.4%认为"非常合理"，48.5%认为"较为合理"；持中性"一般"态度为29.5%；5.1%认为"较不合理"，2.3%认为"极不合理"；另有2.3%回答"不清楚"。多数人肯定了服装的重要作用。应该说，这种对于人的外在方面的重视，与对人的内在方面的重视并非是对立的，而且在后面我们还将看到，青年这种对外在方面的强调是自我取向性质的，即主要是为了使自己有良好的心理感受。

比较来看，四个城市学生对于上述看法的态度比例结构是相同的：最多的人表示肯定，其次的人持中性态度，比例第三的人持否定态度，最少的人表示"不清楚"。上海青年持肯定态度的比例最高，达70.3%，持中性态度的人为19.4%，换言之，上海学生对于服装的功能较为重视。

（2）穿名牌服装的意义

青年喜欢穿名牌服装有其特定意义，他们如何看待这种意义？北京学生对于"在您看来，穿名牌衣服的目的"这一问题的具体态度是：比例最大（36.5%）认为"名牌就是质量好、耐穿，同时也有'面子'"；比例其次（24.1%）表示"既是为了给别人看，同时也是为了自己心理感到愉快"；比例第三（18.0%）选择了"主要是为了自己心理感到愉快，生活质量提高了嘛"，比例第四（7.3%）说"没有太多的考虑，跟着社会上的潮流走呗"，比例最少（4.4%）认为"主要是为了穿给别人看，以免被人瞧不起"；此外，有9.8%表示"不清楚"。可以看到，当今青年由于自我意识，尤其是自我价值意识的提高，他们穿名牌服装的主要动机，并没有表现出强烈的他人取向，如为了给别人看，让别人羡慕、模仿等等，而是自我取向的，如使自己感到心情愉快和感受生活质量的提高等等。

比较来看，四个城市学生对于这一问题的态度比例结构基本相同，其中上海与北京学生的态度比例结构相同；而天津与广州学生的态度比例结

构相同，即比例第二的人选择了"主要是为了自己心理感到愉快，生活质量提高了嘛"，比例第三的人选择了"既是为了给别人看，同时也是为了自己心理感到愉快"。而在其他方面则与北京、上海学生的态度比例结构相同。

(3) 对名牌的知晓程度

对各种名牌的知晓程度，说明了对名牌的关注度和知识量，并会直接或间接地影响人们的名牌消费行为。调查中以下面的问题来测量学生对各种名牌的知晓程度。

"请先看一下以下列举的商品品牌，然后回答问题：

耐克、阿迪达斯、LG、TCL、Timebrland、锐步、斯托瑞、标马、鳄鱼、三枪、回力、双星、康威、Elle、恩威达、Toshiba、Noblest、倍福来、汤姆、伊莱克、CBD、不清楚。"

调查结果具体如下：

对第1个问题"请从上面的列举当中，选出三个国际著名品牌"，北京学生的选择结果的排序为：耐克（80.5%）、阿迪达斯（78.9%）、锐步（28.8%）。

其他三个城市学生的选择结果及其排序为，天津学生：耐克（79.4%）、阿迪达斯（77.2%）、鳄鱼（24.6%）；上海学生：耐克（83.3%）、阿迪达斯（82.0%）、鳄鱼（24.9%）；广州学生：耐克（61.2%）、阿迪达斯（47.7%）、不清楚（26.0%）。

对第2个问题"请从上面的列举当中，选出三个中国著名品牌"，北京学生的选择结果及其排序为：双星（62.0%）、三枪（50.3%）、回力（39.7%）。

其他三个城市学生的选择结果及其排序为，天津学生：双星（71.3%）、三枪（61.1%）、回力（39.9%）；上海学生：三枪（70.5%）、回力（57.3%）、双星（37.9%）；广州学生：回力（39.6%）、TCL（35.0%）、不清楚（32.5%）。

对第3个问题"请从上面的列举当中，选出三个假设的商品品牌"，北京学生的选择结果及其排序为：不清楚（46.3%）、汤姆（31.3%）、CBD（27.7%）。

其他三个城市学生的选择结果及其排序为，天津学生：不清楚（40.5%）、汤姆（38.9%）、CBD（33.3%）；上海学生：CBD（37.7%）、汤姆（37.2%）、不清楚（34.5%）；广州学生：不清楚（57.7%）、汤姆（20.3%）、CBD（18.4%）。

可以说，当今青年具有非常高的名牌知晓度和对非名牌的辨别力，这表明了他们对名牌产品的表现极大的关注程度、具有较强的辨别力和掌握丰富的相关知识。

比较而言，北京学生在名牌认同上与其他三个城市学生之间表现出某些不同的心理特点；上海学生具有较强的名牌认知程度；广州学生的名牌意识似乎更淡薄一些。

四、各种情境下的消费方式与行为

1. 消费的信息来源与物质基础

（1）获取消费信息的渠道

追逐新鲜事物和对未知的好奇是青少年时期的人们所具有的一个重要心理特点，在生活方式尤其是闲暇娱乐、消遣活动方面关注新潮，则是这种特点的一种现实表现。

北京学生获取新潮的生活用品和娱乐方式的主要信息渠道，按其被选率从高到低排序依次为：同学／朋友（39.6%）、电影／电视／广播／报刊（34.6%）、现实生活（12.6%）、网络（5.2%）。可以看到，同辈人交流和大众传媒是引介新潮生活娱乐信息的两种最重要途径。相较之下，父母、老师的影响力非常小。

比较而言,广州学生获取消费信息的渠道状况的排序与北京学生相同,天津与上海学生获取消费信息的渠道情况的排序相同,据被选率从高到低依次为:电影／电视／广播／报刊、同学／朋友、现实生活、网络。

（2）生活物品的拥有或使用

调查结果表明,当今学生拥有或在家可以自由支配使用一般或高档消费品的人数已经占据一定比例,而且在许多日常生活领域正在表现出某些与成人消费相似的特征。以下是四个城市学生拥有或在家可以自由支配使用电脑、手机、MP3机、电子游戏机这几种较有时代和青少年特点的生活物品的情况。

拥有或在家可以自由支配使用电脑的学生人数比例在四个城市的排序为:北京(67.7%)、广州(53.7%)、上海(50.7%)、天津(43.9%)。

拥有或在家可以自由支配使用手机的学生人数比例在四个城市的排序为:北京(42.9%)、上海(38.8%)、广州(38.2%)、天津(26.5%)。

拥有或在家可以自由支配使用MP3机的学生人数比例在四个城市的排序为:北京(13.3%)、广州(6.5%)、上海(6.4%)、天津(5.6%)。

拥有或在家可以自由支配使用电子游戏机的学生人数比例在四个城市的排序为:北京(30.2%)、上海(29.0%)、天津(28.7%)、广州(23.8%)。

相比而言,在这几种很大程度上最具有青年消费特征的生活物品方面,北京学生的拥有或使用比例在四个城市中均排序首位。

2. 个人理财素质状况

（1）拥有零花钱的情况

调查结果表明,北京学生中每个月拥有零花钱的人数比例最大的前4位排序依次为:1—50元的人（22.7%）;51—100元的人（17.4%）;101—200元的人（15.5%）;"不清楚"的人（12.2%）。

其他三个城市的情况是:

上海学生每个月拥有零花钱的人数比例前4位的结构状况与北京学生

相同：1—50元的人最多（23.5%）；51—100元的人其次（16.8%）；101—200元的人第三（13.8%）；"不清楚"的人第四（12.7%）。

天津学生每个月拥有零花钱的人数比例前4位的结构状况与北京、上海学生具有很大程度的相似性：1—50元的人（26.2%）；51—100元的人（17.1%）；101—200元的人（15.1%）；201—300元的人（10.3%）。

广州学生每个月拥有零花钱的情况较为特别一些，人数比例排序的前4位依次为：1—50元的人（20.0%）；"不清楚"的人（14.8%）；51—100元的人（14.5%）；101—200元的人（14.0%）。

比较来看，四个城市学生每个月拥有零花钱的情况，1—50元的人数比例最大，约为两成多；51—100元的人数比例居次位，约为一成半；101—200元的人数比例第三，约为一成半；这三者或者说每个月拥有零花钱在200元以下者所占人数比例累计约为五成半。另外，有几个值得注意的现象：一是，每月没有零花钱的人数比例很近似，约半成；二是，每月零花钱在800元以上的人，上海最多（3.1%），广州第二（3.0%），北京第三（2.8%），天津第四（1.6%）。

(2)"压岁钱"的数量

对于没有正式收入的青年学生来说，每年春节从长辈那里得到的"压岁钱"，成为他们理财的一个重要来源。

调查结果表明，北京学生春节得到"压岁钱"的人数比例最大的前4位排序依次为：1000元以上的人（24.0%）；801—1000元的人（15.7%）；501—800元的人（14.8%）；301—500元的人（10.9%）。换言之，春节得到"压岁钱"300元以上的人数比例累计达65.4%。

其他三个城市学生春节得到"压岁钱"的人数比例最大的前4位排序依次是，上海：1000元以上的人（26.7%）、801—1000元的人（15.0%）、501—800元的人（13.1%）、301—500元的人以及101—300元的人（10.8%）；天津：101—300元（18.8%）、没有得到"压岁钱"的人（15.2%）、1000元以上的人（15.0%）、301—500元的人（14.8%）；广州：1000元以上的

关注成长

人（19.1%）、301—500元的人（15.3%）、"不清楚"的人（14.7%）、501—800元的人（13.9%）。

相比之下，得到800元以上的学生比例，上海最多（41.7%），北京第二（39.7%），广州第三（32.5%），天津第四（24.4%）。

（3）攒钱的习惯

攒钱不仅只是一种实际效用，对青年而言更是一种品性培养。对于是否有将自己的零花钱（或"压岁钱"）积攒起来的习惯这一问题，北京学生中，比例最大（37.0%）的人"正在攒钱"，比例第二（28.2%）的人"以前攒过，现在不攒了"，比例第三（15.3%）的人"从来没攒过钱"，比例第四（12.6%）的人"没有钱可攒"，比例最少（6.9%）的人"现在没有攒钱，准备积攒"。

其他三个城市学生与北京学生选择结果的比例结构相同："正在攒钱"的人最多，"以前攒过，现在不攒了"的人其次，"从来没攒过钱"的人第三，"没有钱可攒"的人第四，"现在没有攒钱，准备积攒"的人最少。

调查结果有点出人意料，因为与当今社会上对青少年，尤其是独生子女一代所形成的较少节俭性的印象似乎不太一致：有近五成的学生表现出攒钱行动和意向，而并没有将自己所得到的各种"收入"全部花销。

3. 日常情境下的消费状况

（1）零花钱的开销

零花钱是青年学生可以在很大程度上自主支配的"收入"，尤其能够体现他们的消费意愿与倾向。调查结果显示，北京学生与其他三个城市学生在零花钱开销结构上都呈现出三个最为显著的方面：一是，购买书刊，这是开销最主要的部分，其中购买课外书报的支出大于购买学习辅助书籍的支出；其次，购买休闲、娱乐方面的高科技产品，如CD/音乐磁带、电脑软件/电子游戏软件以及VCD/DVD/影带；三是，购买零食/饮料。学习、求知和迷恋新奇事物是青少年的主要特点，因此，用于精神追求或心

理需要的支出占据了主要方面，而购买零食／饮料也是这一时期人们的身心特点的表现。

表9　　　　一般情况下，您的零花钱主要用在哪些方面？　　　　（％）

项目　　　　　　　　城市	北京	天津	上海	广州	总体
运动服装/鞋子	24.1	26.9	23.7	35.0	26.9
课外书报	44.5	46.7	39.3	40.6	43.1
学习辅助书籍	23.7	33.1	32.2	32.9	30.1
CD/音乐磁带	31.8	30.5	38.1	19.4	30.6
VCD/DVD、影带	10.7	7.4	13.0	5.7	9.3
电脑软件/电子游戏软件	18.8	10.0	13.3	13.1	13.9
零食/饮料	55.2	51.7	56.8	43.8	52.4
社会交往	19.5	28.8	22.9	30.7	25.1
其他	9.0	10.5	8.5	11.0	9.7

（2）"人情消费"状况

当今青少年在人际交往消费或"人情消费"方面，表现出了更明显的独立化、成人化的特征。这种特征可以从一个较为具体的日常生活消费方面来加以考察。

为朋友过生日的消费状况，是当今青少年"人情消费"的最重要方面之一。调查结果显示，就最近一次某位好朋友过生日时的花钱情况而言，北京学生中，人数比例最多的前3位情况为：花1—50元（46.5%）、花51—100元（18.9%）、没有为朋友花钱（17.0%）。可见，大多数学生中并不存在"人情高消费"现象。

其他三个城市学生在花钱上人数比例最多的前3位情况为，天津：花1—50元（54.2%）、没有为朋友花钱（24.3%）、花51—100元（10.2%）；

上海：花1—50元（50.3%）、没有为朋友花钱（19.2%）、花51—100元（14.6%）；广州：花1—50元（55.5%）、没有为朋友花钱（19.4%）、花51—100元（11.2%）。

总体上看，北京学生与其他三个城市学生的情况基本相似，而其他三个城市学生的情况则更为相似。最近一次为某位好朋友过生日花500元以上的学生人数比例从高到低的排序依次为：上海（2.3%）、北京（1.9%）、广州（1.3%）、天津（0.6%）。

4．特殊情境下的消费状况

过生日在今天青少年看来具有非同寻常的意义，因此，过生日时的花费也就成为一个体现他们的生活观念包括消费观念在内的一个重要方面。对于最近一次过生日，一共花钱数（包括自己所花和别人为己所花），北京学生中，人数比例前4位排序依次为：花101—300元（23.9%）、花51—100元（17.0%）、不清楚（14.9%）、没有花钱（13.4%）。

其他三个城市的情况也提供了印证，学生人数比例最多的4位排序依次，天津为：花50—100元（19.1%）、花1—50元（18.3%）、花101—300元（18.1%）、没有花钱（17.7%）；上海为：花101—300元（19.2%）、不清楚（16.2%）、花51—100元（15.9%）、没有花钱（15.7%）；广州为：没有花钱（24.5%）、花101—300元以及"不清楚"（17.9%）、花51—100元（15.7%）、花1—50元（15.4%）。

总体来看，花钱在300元以下的人数比例累计为七成以上；花300元以上的人数比例累计不到三成，其中花1000元以上的人数比例排序为：上海（5.1%）、北京（2.9%）、天津（2.4%）、广州（1.1%）。

可以看到，青少年中并没有普遍地存在"高消费"现象，但同时值得注意的是，生日消费正成为一笔不小的开支，而花钱1000元以上的人数也有一定比例，这些花费数对于还没有正式经济收入的青少年来说，更准确地说是对其父母来说，不能不说是一个巨大数字。

5．闲暇消度的内容及其方式

（1）闲暇消度内容的偏好

由于正处在学习、升学的特殊阶段，当今青少年的闲暇时间并不十分富裕，因此显得尤其珍贵。以何种内容来消度这些闲暇时间，关系着他们身心得以调整与休养的质量。

调查结果显示，学生们喜欢的闲暇消度内容的首选在四个城市都是：与同学／朋友聚会。被选率较高的其他闲暇消度内容在四个城市也具有很大相似性。

北京学生依次是：在家里、到郊外游玩、逛街／商场、去书店／图书馆、运动健身、去公园／游乐场、去网吧、去电影院、其他、去酒吧、去游戏厅。

天津学生依次为：在家里、去书店／图书馆、逛街／商场、到郊外游玩、运动健身、去网吧、去公园／游乐场、去电影院、其他、去酒吧、到游戏厅。

上海学生依次为：在家里、逛街／商场、到郊外游玩、去书店／图书馆、去网吧、运动健身、去公园／游乐场、去电影院、其他、到游戏厅、去酒吧。

广州学生依次为：逛街／商场、在家里、去书店／图书馆、到郊外游玩、运动健身、去网吧、电影院、去公园／游乐场、其他、到游戏厅、去酒吧。

可以看到，与同辈人交往是被选率最高的闲暇消度方式，这表明满足交往的需要在他们身上显得尤其迫切；到郊外游玩，在走近大自然中使自己的身心得到放松是这个年龄段最喜爱的方式之一，它比其他游乐方式如去公园／游乐场、去电影院、到游戏厅更受到青睐；"呆在家里"成为一种闲暇方式的选择，主要是因为家里有着其他地方所不能代替的内容；而逛街／商场受青少年喜爱，说明他们身上表现了一定程度的生活意识尤其是

消费意愿。

（2）闲暇消费方式的选择

在闲暇消度的方式选择方面，保持个性和不刻意追求，成为当前学生所表现出的两个最突出的倾向，尝试最时髦的活动方式并没有成为多数人的选择。这种情形在四地学生身上基本相同。

表10　　　　在闲暇娱乐活动方面，您比较喜欢的选择是　　　　（%）

选项　　　　　　　　　城市	北京	天津	上海	广州	总体
保持自己比较固定的活动方式	38.1	40.6	35.0	38.1	38.1
乐意尝试最时髦的活动方式	17.2	15.5	15.9	17.1	16.4
没有太明确的倾向	37.7	39.4	40.3	36.7	38.6
不清楚	6.9	4.4	8.8	8.0	6.9

五、基本结论与进一步的讨论

1. 北京青年学生在作为消费心理基础的深层观念上的主要特征

（1）在金钱观念方面，北京学生表现出明显的现代特征，不论在金钱与人生目标的关系上，还是在金钱与事业成功的关系上，他们不回避、不忌讳谈金钱，而是能够正视金钱在现代社会生活中的作用，正确处理金钱在个人生活中的位置。总体上表现出了一种现代素质或者说现代人在金钱方面应有的健康心态。其他三个城市学生也表现出相似的倾向，其中天津学生不仅对金钱与人生理想目标之间的关联度的认同程度较低，而且对于金钱衡量事业成功的作用的认同程度也较低。

（2）在享受观念方面，北京学生中的大多数人并没有对过分强调享受的观点以及即时享乐的观点给予认同；在另一方面，为了消除学习、生活节奏加快所带来的紧张和压力，学生中重视即时享受的倾向正在增强。青年一代对于享受的重要性给予了充分的肯定，但在总体上看，又没有走向极端。其他三个城市学生的态度及其程度上的表现也与北京学生非常相似。在四个城市中，北京学生重视享受的倾向较为明显，而天津学生则较不明显。

（3）在经济自立意识方面，北京学生表现出非常强烈的倾向。在有机会获得经济自立方面或者说通过自己的劳动获取收入的问题上，当今学生更注重的是实质，而不是形式。

2．北京青年学生在不同层面的消费观念与心态上的主要特征

（1）在社会层面的消费观念上，对于社会的消费标准，北京学生中多数人主张"兼顾实惠和高标准"，一味地追求高消费不是普遍性的要求。对于曾经长期作为社会主导精神观念的"勤俭节约"，北京学生给予了很高程度的认同。在上述问题上，其他三个城市学生的态度比例结构相同。当今学生较强的"勤俭节约"意识，与上一辈人的影响密切相关，多数父母对他们的日常消费提出了较严格的期待，特别是要求他们注意"勤俭节约"。

（2）在个人层面的消费观念上，对于个人的消费标准，北京学生中主张"兼顾实惠和高标准"的人数比例最大，他们把所主张的社会消费观念落实到了个人日常生活当中。体现了在消费标准上对社会的要求与对自身的要求的一致性。其他三个城市学生的态度的比例结构相同。对于日常花钱问题，北京学生中最鲜明地表现出了勤俭节约和为人服务这两个原则。其他三个城市学生的态度结构基本相同。广州学生表现出的"勤俭节约"倾向更强一些。在日常消费决策方面，学生中的主要倾向表现出了较理性的态度，并没有呈现出不成熟的消费心理状态。其他三个城市学生的情形相同。上海学生表现了比其他三个城市学生更强的消费动机。

（3）在名牌消费心理方面，北京学生中多数人肯定了服装对于装饰人的外表的重要作用。这种肯定观点与对人的内在方面的重视并不矛盾。四个城市学生表现了基本相似的态度。上海学生对于服装的作用更为重视。

关注成长

北京学生穿名牌服装的主要动机，并没有表现出强烈的他人取向，而是自我取向的。四个城市学生的态度结构基本相同。北京学生对于各种主要名牌产品表现出了极大的关注、较强的辨别能力和丰富的相关知识。比较而言，北京学生在名牌认同上表现出了某种个性，上海学生具有较强的名牌认知程度，广州学生的名牌意识较为淡薄。

3. 北京学生在各种情境的消费方式与行为上的主要特征

（1）在消费的信息来源与物质基础方面，北京学生中，引介新潮生活娱乐信息的两种最重要途径是同辈人交流和大众传播。相较之下，父母、老师的影响力最为弱小。其他三个城市学生的情况也大致相似。在生活物品的拥有或使用上，北京学生中拥有或在家可以自由支配使用一般或高档消费品的人数已经占据一定比例，在许多日常生活领域正在表现出某些与成人消费相似的特征。在电脑、手机、MP3机、电子游戏机这几种较有时代和青少年特点的生活物品方面，北京学生的拥有或使用比例在四个城市中均排序首位。

（2）在个人理财素质状况方面，北京学生与其他三个城市学生每个月拥有零花钱在200元以下者约为五成半，而且比例结构较为相似。每个月没有零花钱的人数比例约为半成。每个月零花钱在800元以上者，上海最多、广州第二、北京第三、天津第四。北京学生中春节得到"压岁钱"在300元以上的人数比例达65.4%。相较之下，得到800元以上的学生比例，上海最大，北京第二，广州第三，天津第四。在攒钱的习惯上，北京与其他三个城市学生的情形相似，有近五成的人表现出攒钱行动和意向。

（3）在日常情境下的消费状况方面，北京学生与其他三个城市学生在零花钱开销结构上呈现出三个最为显著的方面：购买书刊是开销的最主要部分；其次是购买休闲、娱乐方面的高科技产品；三是购买零食／饮料。北京学生在"人情消费"方面，尽管表现出了更明显的成人化特征，但大多数人并未出现"高消费"现象。总体上，北京学生与其他三个城市学生的情况基本相似，而其他三个城市学生的相似程度更大。

（4）在特殊情境下的消费状况方面，就过生日这个在今天青少年看来具有非同寻常意义生活方面来看，北京与其他三个城市学生的情形非常相似，并没有普遍地存在"高消费"现象。但生日消费也是一笔不可忽视的开支。

（5）在闲暇消度的内容及其方式方面，北京与其他三个城市学生表现出较相相似的特征，最喜欢的主要闲暇消度内容为：与同学／朋友聚会、到郊外游玩、在家里。在闲暇消费方式的选择上，保持个性和不刻意追求，成为当前北京学生所表现出的两个最突出的倾向，这种情形在其他三个城市学生身上也表现出来。

就当今中国学生群体的消费心理与行为而言，讲求实际、追求实惠是主要趋势。究其原因，一方面在于他们自身基本上还没有独立的经济收入，另一方面则在于"勤俭节约"这一类曾经长期弘扬的思想观念仍然具有较强的影响力，并通过上一辈人的要求而影响着当今青少年。与此同时，与经济增长、社会发展更高阶段相应的强调生活质量、注重消费档次（如名牌）和重视充分享受的观念在青少年身上正越来越突出地呈现。

满足人民群众日益增长的物质与文化生活的需要，是我们社会发展的目标。诚然，我们也须谨防在从匮乏社会向富裕社会过渡这种特定转型时期，社会心理中某种"富裕病态"的发生，甚至提前发生，尤其是在青少年身上发生。但是，从调查结果来看，在消费心理与消费行为上，当今青年学生群体身上并没有出现非常态现象。

人类社会的发展历程表明，现代化起飞阶段的民族需要用理性精神作为支撑，而理性精神又总是与勤勉、发奋、克俭等精神气质紧密相联。这一点正是我们关注社会成员尤其是青年的消费心理和消费行为的状态与变化的深刻意义之所在。

作者单位：中国社会科学院

尚秀云　范君

对100名在押未成年犯的调查报告

当前，未成年人犯罪问题令人担忧。仅从海淀法院判处的未成年犯罪人数看：1986年为99人；1996年上升至231人，增长了1.3倍；2001年达历史最高，判处380人；2003年因受"非典"影响，判处的未成年犯人数有所下降（但实际发案没有大的变化）。为进一步摸清未成年人犯罪的成因规律，海淀法院少年法庭于2003年9月，在北京市未成年犯管教所的配合下，随机向在押的100名未成年犯发放了调查问卷（当时在押未成年犯370人），结合有关方面的研究成果和法院审判实践，经过归纳总结，从家庭、学校、社会三个方面剖析犯罪原因，提出对策建议。

一、从家庭、学校、社会三个角度对未成年人犯罪的成因分析

家庭、学校、社会是未成年人成长影响因素的三个不同层面，每个"问题少年"都可能受到了这三个层面因素的影响，当然影响的效果千差万别。

1. 未成年人犯罪与家庭影响

现阶段未成年人的父母大都成长在文革时期,他们成长的环境和所受到的教育存在着一定缺陷。在被调查的100名未成年犯家庭中,家庭成员文化素质普遍较低。相应的是未成年犯本人文化程度也不高(其中小学6人,初中76人,职业高中13人,高中5人)。在他们的家庭成员中曾被拘留、劳教、判刑的占23%。未成年犯的家庭成长环境较差,在这些家庭当中,我们分析,有以下4种有缺陷的家庭环境(在孩子的不同年龄阶段可能发生家庭类型的转换):

(1)**溺爱型家庭**。此类家庭在被调查者中占80%左右。以海淀法院判处的一名未成年犯为例,其家庭条件非常优越,父母对孩子十分溺爱,曾雇三个阿姨照顾他,使他从小养成了任性、自私、蛮横的个性。一次在学校踢足球时与同学发生口角,被对方打了一个嘴巴,他竟跑回教室拿出刀子将对方扎死。溺爱型家庭在孩子心灵上播下自私、任性的种子,极易发展形成不良的个性,偏好反社会行为。

(2)**失和型家庭**。在被调查的100名未成年犯中,父母离异的有29%,再婚家庭7%,合计36%。与此相关,2003年,海淀法院少年法庭受理的未成年刑事案件中,来自单亲家庭占少年犯总数的26.4%,来自继亲家庭占少年犯总数的6.3%,来自婚姻动荡家庭占少年犯总数的25.2%,三者相加为57.9%。我们经常读到一些未成年犯家长写来的信,这些痛苦不堪的父母追悔莫及,如果他们能给予孩子和睦幸福的家庭环境,教孩子从小心存善良,就决不会等到孩子迈入铁窗,才痛心疾首。

(3)**打骂型家庭**。在调查的100名未成年犯中,家庭教育方式,打骂体罚的竟然占23%。由疼爱变成打骂,使孩子感受到的是父母对他的爱变成了恨,经常打骂会造成孩子心理的畸形发展。从长远来看,对孩子健全人格的形成极为不利,往往会在孩子进入青春期后爆发出来。

(4)**放任型家庭**。我国《预防未成年人犯罪法》规定:不得让不满十

六周岁的未成年人脱离监护单独居住。但是被调查的100名未成年犯中，脱离监护单独居住的占9%。大多数的少年虽与父母（或其中一方）共同生活，但父母对他们思想上的变化并不了解，有的家长竟认为自己的孩子没问题，公安局是不是抓错人了。家长对孩子只养不教，不依法履行教育监护的职责，对不良行为视而不见，忽视和孩子心灵上的沟通与交流，是这类家庭的共同特点。

2. 未成年人犯罪与学校教育

此次被调查的100名未成年犯中，在校学生占56%。此前，海淀法院2002年也有过一个统计，在校学生犯罪占未成年人犯罪总数的42%。从某种意义说，有的中、小学教育存在的问题，特别是重智育、轻德育，法制教育薄弱等问题，可能是导致在校学生犯罪的客观原因之一。我们在此次调查中发现如下问题：

（1）个别学校教育方式有失偏颇

有极个别学校，对品行有缺点、学习有困难的学生，采取歧视性措施，不尊重未成年学生受教育的权利；也有个别学校违反教育法规，执意将有缺点的学生轰出校门。某抢劫案的两个未成年犯，均16岁，是本市某职业高中一年级的学生。因不好好学习，功课经常不及格，以致影响班级的整体成绩，老师决定对他们进行罚款：主科不及格，罚人民币300元；副科不及格，罚款人民币200元。二人均有主科和副科不及格的课程，又不敢将此事告诉家长，他们思来想去，终于想出一个弄钱的办法，就是深夜到大宾馆附近去抢劫卖淫小姐。他们第一次就抢得人民币数千元和一台手机，以后连续多次行抢，最终被判处有期徒刑。

我国《预防未成年人犯罪法》中明确规定：教育行政部门应当将预防未成年人犯罪教育工作效果作为考核学校工作的一项重要内容。但此项规定究竟落实怎样，应当引起有关部门的高度重视。

（2）个别教师工作责任心不强

有的教师对待成绩较差的学生，缺乏责任心。在被调查的100名未成年犯中，学习成绩优良的有5人，中等的有21人，成绩较差的是多数，有74人。问卷显示，当这些学生学习成绩不好或有违纪行为时，认为老师能够耐心教育的仅有48人，不管不问的33人，当众训斥的13人，劝其退学的6人。某抢劫案的被告人李某，14岁，是某中学初二学生。一天上数学课时，因不遵守课堂纪律并顶撞数学老师，该数学老师将李某交班主任处理，班主任又将李某交学校校长处理，校长对李某进行批评教育后，班主任将李某送回家，责令停学，还叫同学带话让其在家改正缺点，什么时候改好了再回来上学。其后几天，李某及其家长曾多次找到学校，要求返校学习，但都被学校拒绝，以致李某整日在外游荡，无所事事。不久，李某便在电子游戏厅结识了不良少年，学会了吸烟、酗酒，后在他人的唆使下，结伙参与抢劫，走上了犯罪的道路。

老师无小节，处处是楷模。作为一名教师，对学习有困难的学生，应当帮助其找原因，耐心引导，启发学生的学习积极性，不让一个学生落伍，而不应当将学生像包袱一样从学校甩向社会。

3. 未成年人犯罪与社会责任

近年来，未成年人犯罪形势严峻，绝不是偶然的，社会环境因素的变化和影响是最重要的外部原因。净化社会环境，也就是应当从外部消除或减少诱发未成年人犯罪的不良因素。我们调查发现：

（1）未成年人法制教育缺口较大

调查问卷显示，100名未成年犯中认为，学校或社区能够经常进行法制教育的仅占40%，有时进行教育的占24%，很少教育的占28%，没有进行过法制教育的占11%。他们中绝大多数在犯罪时，不知道或不考虑违法犯罪行为的后果和应当承担的法律责任。一名因抢劫罪被判刑的少年犯，直到法庭宣判才知道自己是犯了抢劫罪，而在此之前，他只知道自己的行为是"切钱"。一名16岁的农村少女，因父母和奶奶不同意自己与男朋友

交往，想制造恶作剧吓唬家里人一下，让他们都住进医院，竟伙同男朋友在做饭时将农药放入饭里，给平时最疼爱她的奶奶吃了一碗，自己也好奇地尝了两口，结果奶奶被毒死，她自己也被送到医院抢救了三天，终因犯投毒杀人罪，被判处有期徒刑10年。她在接受我们调查的时候，一直流眼泪，她悔恨地说，如果当时知道自己这样做是犯罪，会造成这么严重的后果，她决不会这样做。

在北京市未成年犯管教所中，有一半以上的少年犯在选修法律课，甚至有的人在出狱时拿到了成人高考的法学毕业证书。遗憾的是，这些未成年人是在犯罪之后才开始学习法律。《预防未成年人犯罪法》规定："父母或者其他监护人对未成年人的法制教育负有直接责任"。如果这些未成年人从小学法、知法、守法，树立起遵纪守法的意识，也许他们就可以避免犯罪，远离犯罪。

(2) 色情、暴力音像制品污染问题没有得到根本遏制

在调查的100名未成年犯中，观看含有色情内容书刊、音像制品并受影响的占56%；经常观看的占44%；曾进入不适宜未成年人进入场所的占34%，经常进入的占66%。据犯罪心理学分析，少年性机能渐渐发育成熟，但往往性道德观念的形成却落后于性机能发育的成熟，色情文化的污染最容易使这个时期的少年放肆地追求性刺激，再加上少年本身喜欢模仿，好奇心强，易受暗示，在外界强烈刺激的作用下，很容易产生犯罪动机，从而走上违法犯罪的道路。色情文化污染，是导致未成年人性犯罪的直接诱因。北京市未成年犯管教所关押的一名15岁的少年犯，因伙同另外两名少年轮奸少女，被依法判处重刑。追根溯源，是他10岁就开始看有色情内容的图书，看色情内容的音像制品已成为他的爱好。

同样，暴力内容的音像制品影响也很明显。20世纪80年代，未成年人犯罪多表现为一般盗窃、打架斗殴、寻衅滋事等犯罪行为。到90年代末，未成年人犯罪向抢劫、重大盗窃、杀人等方面发展，甚至出现持刀杀人、持枪抢劫、报复放火等严重犯罪，犯罪性质明显恶化。1999年以来，据有关

统计，抢劫罪已代替盗窃罪上升为第一位，主动攻击性突出，暴力倾向明显。在被调查的 100 名未成年犯中，犯抢劫罪的占 71%，经常看含暴力内容的音像制品并受影响的占 83%。

(3) 电子游艺厅、黑网吧等娱乐场所的侵蚀作用依然很大

《预防未成年人犯罪法》明确规定：营业性电子游戏厅在国家法定节假日外，不得允许未成年人进入，并应当设置明显的未成年人禁止进入的标志。但是经营者为了赚钱，仍然以各种名目吸引未成年人入内。在被调查的 100 名未成年犯中，经常进入电子游艺厅的占 66%，偶尔进入的占 28%；经常进入电脑网吧的占 39%，每天两小时以上的占 28%，每天 10 小时以上的占 7%。有关方面统计过，北京有 171 万中小学生，有 30 万学生在网吧上过网，有 10 万学生经常光顾网吧。

据有关材料反映，未成年人沉迷于网络游戏，已成为日益突出的社会难题。网络游戏大多以"攻击、打斗、暴力、色情"为主要内容，未成年人长期玩飙车、砍杀、爆破、枪战等游戏，火爆刺激的内容容易使他们模糊了道德认知，淡化了游戏虚拟与现实生活的差异，误认为这种通过伤害他人而达成目的的方式是合理的。一旦形成这种错误观点，他们便会不择手段地模仿欺诈、偷盗甚至对他人施暴的行为，不但会在网上甚至会在现实生活中发生。近年来，网吧引发的刑事案件，应当引起我们高度重视，有关部门应出台整顿治理、监督电子游艺厅和网吧的严格管理条例，并制定有效的监督办法和惩罚措施，严令执行。

二、对策建议

通过对 100 名在押未成年犯的调查，我们深感不安。很多不良因素仍在毒害着未成年人，有些部门保护未成年人的社会责任没有尽到，预防未成年人犯罪的普遍的社会意识没有真正树立起来，解决这些问题，需要举

全社会的力量再做进一步的工作。

1.确定《预防未成年人犯罪法》宣传日

建议确定6月28日——为预防未成年人犯罪宣传日（或"全国少年法制宣传日"）。1999年6月28日，第九届全国人大常委会第十次会议高票通过的《中华人民共和国预防未成年人犯罪法》，是我国，也是世界第一部预防未成年人犯罪的专门法。该法顺应了社会的迫切需要，反映了人民的呼声，全面体现了党和国家治理未成年人犯罪问题，立足事前预防的战略思想。让该法走进千家万户，每个公民都来参与，着眼于积极预防，增强未成年人的法制观念，使其懂得违法犯罪的危害性、应承担的法律责任，自觉养成遵纪守法和防范违法犯罪的意识。让家庭、学校和社会各自明确自己的职责和法律责任，把预防未成年人犯罪作为一项治国安邦的"心灵工程"来抓，使这部法律真正落到实处，从而筑起一道防范未成年人犯罪的屏障。

2.强化父母对未成年子女的有效监护

父母必须有效承担起对子女的监护责任。对孩子的监护、教育，既要着重从生活上加强，也要根据孩子的个性、智力等不同情况，因人而异，有针对性地、科学地进行，要做到这一点，就离不开对孩子的深入观察和了解，对容易产生违法犯罪的问题予以有效地控制并及时消除，把问题消灭在萌芽状态，以求取得良好的监护效果。不能对子女放任不管，杜绝让未成年子女单独居住的现象。

3.整合社会资源，建立统一的家长学校

此次被调查的100名未成年犯，家长素质较低、家庭教育失当是导致其犯罪的重要原因之一。他们对孩子的成长规律和科学教子的方法还跟不上，重智育轻德育等问题还普遍存在。现在各地成立了各种家长学校，在

普及家教经验方面取得了明显的成效，涌现出了许多教子成功的父母。建议整合社会资源，联合已有的家长学校，成立统一的家长学校，利用广播、电视等各种媒体，开展符合实际的、系统化的、制度化的家庭教育知识的宣传，根据孩子的生理、心理的成长规律和需求，传授如何进行道德、心理健康、法制教育等科学教子的经验。父母的素质和教子的水平提高了，对孩子的健康成长具有重要的意义。

4.强化学校和教师预防未成年人犯罪的责任

改进教育质量评价制度，让所有的中小学校都积极开展预防未成年人犯罪的工作，将学校的法制教育成果与校长的工作业绩挂钩。强化教师的职业道德意识，鼓励教师关心和帮助"问题少年"，培养先进典型，开展正面宣传。

5.法律知识进课本，聘请法制校长

向未成年犯发放的100张问卷中，在"你对大家的忠告是什么？"这一问题上，绝大多数少年回答的是：学法知法，遵纪守法。据管教人员介绍，绝大多数未成年犯是缘于法制观念淡薄而犯罪的，他们希望学校能设置法制教育课，将法律知识深入浅出地融入课堂教学中，建立学分制，并对学生进行考核。建议中小学校聘请法制工作者，担任学校专职或者兼职法制校长，并制定法制校长的职责，法制校长有责任将学校教育和社会法制教育结合起来，逐渐探索一条适合未成年人特点的法制教育制度。

6.净化社会环境，建立绿色网吧

日前公布的《互联网上网服务营业场所管理条例》，其中明确规定了未成年人不得进入营业性网吧，中小学校周围200米内不得设置网吧的规定。这个条例的实施将有助于取消黑网吧，为青少年健康成长创建良好的文化环境。应当强化这一条例的执行。

青少年上网吧进入不健康网站，一个很重要的原因是没有他们喜闻乐见的网站内容可以吸引他们，建议启用更多的绿色网站过滤那些不健康的内容，并在教育资源的软件开发上下功夫，将一些精彩的青少年电视节目搬到网上。在内容上留住青少年，比单纯的"堵"、"禁"更为治本。利用网络学习知识是一件好事，学校也应该提供更健康更便利的网络环境，为青少年创建更多的、健康的绿色网吧。

7.影视作品应当实行分级管理

电影、电视产品应当实行分级管理，这种做法是世界上很多国家的通例。电影应明确根据影片内容划定为"少儿不宜"，并在影片片头标明"本片不宜儿童观看"。凡是标有"少儿不宜"的影片，严禁向未成年人出售门票，不允许未成年人进场观看。并应制定专门的法规，对不执行该规定的单位依法给予制裁。同理，电视也应根据内容确定"少儿不宜"，以使未成年人的父母引导和监督他们有选择地观看电视节目，改善孩子们收看电视节目的质量。

8.将"未成年犯管教所"建成法制教育基地

我们曾多次到北京市未成年犯管教所深入调查，每当走进那座高墙，每当看到失足少年形形色色复杂的目光，每当怀着沉重的心情与失足少年交谈，都萌发一个愿望，应该让更多的家长、学生、教育工作者，像我们一样走进这里，未成年犯管教所无疑是最形象的法制教育基地。将未成年犯管教所建成法制教育基地，有组织地让学生、家长、教师"走进来"，让未成年犯感觉到社会各界对他们的关爱，调动一切积极因素对少年犯进行教育，使其深刻认识犯罪行为给社会、给他人、给自己造成的危害，从而告别过去，走向新生。

9.对刑满释放人员制定倾斜政策，做好就学、就业安排

向未成年犯发放的100张问卷中，在"你最惧怕的是什么"这一栏里，多数未成年犯填写的都是"找不到工作，受他人歧视"。我国《预防未成年人犯罪法》规定：依法免予刑事处罚、判处非监禁刑罚、判处刑罚宣告缓刑、假释或者执行刑罚完毕的未成年人，在复学、升学、就业等方面与其他未成年人享有同等权利，任何单位和个人不得歧视。就业权利是与人的生存权利密切相关的权利，如果这项权利得不到保障，回归人员无以为生，反而会成为社会的不安定因素。为预防和减少未成年人重新犯罪，应该制定必要的倾斜政策，鼓励有关部门定额招收刑满释放的人员就业，或鼓励他们走个体经商的道路，是防止回归人员重新犯罪的有效办法。

10.呼唤建立完善的中国少年司法制度

世界上许多国家都建立了完善的少年司法制度。我国对未成年人犯罪的审理，虽然制定了一些法律规定和政策，但还不够完善和系统。对未成年人的定罪量刑同成年人犯罪适用的是同一部《刑法》，对未成年人犯罪的侦查、起诉和审判程序也都规定在和成年人犯罪的同一部《刑事诉讼法》中。这两部法律也仅以6个主要条款，专门规定对未成年人犯罪应当从情、减轻处罚及不公开审理等内容，距离当前司法实际的迫切需要与当前许多国家的立法比较还有相当大的差距。时代在发展，立法也要发展。这就是在立法领域的与时俱进。我国应当尽快建立完备的少年司法制度，制定适合少年刑事审判的实体法和程序法。

预防和减少未成年人犯罪关系到国家的稳定和社会的长治久安，关系到千家万户的幸福和安宁。全面贯彻落实《未成年人保护法》和《预防未成年人犯罪法》，进一步动员全社会的力量，做好预防未成年人犯罪的工作，是保障未成年人健康成长的一项基础工程、民心工程、系统工程。让我们携起手来，为让每个孩子都享有美好的未来而共同努力。

作者单位：北京市海淀区人民法院

宗春山

再解校园暴力成因与对策

2004年7月22日，香河，中国国家足球队训练基地的会议室中，一个关于儿童暴力的讨论正在热烈地进行。这是外交部应联合国秘书长安南的要求，就本国涉及家庭、学校、体育、宗教、社区、工作场所的暴力侵害儿童的现象及国家反儿童暴力行动的措施进行的一次准学术性研讨，并于2006年完成的一项人权报告。与会者包括公安部、最高人民检察院、最高法院、司法部、全国妇联、国家教委、团中央、卫生部、全国残联、北京市未成年人保护委员会及法学、社科、心理等方面的学者代表，联合国儿童基金会派代表列席。座谈中，一个关于校园暴力的界定问题，引发了激烈的争论。争论的焦点在于是否承认非身体伤害的暴力存在，如：勒索、恐吓、排斥、歧视等，教育界代表持否定态度，认为有暴力扩大化倾向。儿基会官员小野正博认为，下定义不是一项科学的工作，更应该是一种观念更新。我支持这个观点，因为对于儿童的暴力侵害的后果是难以估量的。而对于是否构成"暴力"不仅要有客观的判断，更要注重儿童主体的感受。人类儿童并不像其他动物，出生之后即具备成熟个体的生存能力和技巧特征，反而要经历十几年的不成熟期。换句话讲，儿童期的脆弱和无助，是难以独立承受任何形式的"暴力"，造成其心理"阴影"也将伴随一生。

校园暴力已成为全球性公害。台湾调查显示，130万初高中生，超过9万人生活在校园暴力阴影中。美国教育部门近日发布的初步统计结果显示，在过去一年里，美国的校园暴力事件共造成48人死亡，为十年来之最。2001年儿童发展基金会"安康计划"公布，我国中小学生10.5%曾遭受校园暴力。

校园暴力事件由来已久，且愈演愈烈，已成为危及社会安定的重要因素。探究校园暴力成因，寻求预防、解决之道，还校园以安宁，已成为社会各界的共识。

一、校园暴力概述

1. 暴力就在身边

校园暴力，没有严格的定义，一般泛指发生在校园内（校园周边及校外与教学相关的活动）的教师对学生、学生对学生、校外人员对校内师生的暴力侵犯行为。笔者认为，广义的校园暴力指发生在校园内及周边，学生之间的欺凌、侮辱、恐吓勒索、排斥、财产破坏（盗窃）、殴打抢劫甚至凶杀、强奸、绑架等侵害行为。特点为加害和被害主体均为未成年人，空间和时间上与教学活动相关，如社会实践、军训等活动；而侵害行为上不仅包括对财产和人身权益的侵害，还应该包含精神上的伤害，如：恐吓、侮辱、排斥、歧视、孤立等非肢体暴力，也称"精神暴力"。精神暴力与肢体暴力相比，因其隐蔽、侵害事实难以界定、伤害结果的后发性、迟滞性，而容易被忽视。狭义的校园暴力是指，发生在校园内及相关教学活动中的学生之间的欺负行为。也有将校园暴力定义为"欺负行为"。认为欺负行为"是一种特殊的攻击行为，其与一般攻击最根本的区别在于欺负行为的双方之间力量存在着不均衡性。这里的不均衡性包括客观存在的欺负者体力或社会关系的优势，也包括其主观上的优势感。通常情况下，欺负还有比较稳

关注成长

定的特点，即欺负者和受欺负者经常会在相当长的一段时间内形成比较稳定欺负／受欺负关系"。

由于难以界定，所以关于校园暴力，目前尚缺乏全国性的统计数据，但从某些地区的相关状况中，或许对此可略见一斑。据北京市未成年人保护委员会办公室与中科院心理所2001年公布的一项调查显示，68.2%的学生听说过同学遭遇校园暴力；32.6%的学生目睹过校园暴力；16.3%的学生偶尔遭遇过；3.1%的学生经常遇到。

据搜狐网转载《现代金报》，浙江省于今年上半年首次针对中小学生校园暴力行为状况调查显示，有49.2%的同学承认对其他同学有过不同程度的暴力行为，有87.3%的同学曾遭受过不同程度的暴力行为。在校园暴力事件中，遭受身体和语言攻击行为的受害者最多。

据重庆市某区对5所中学、4所小学的一项调查显示，在1996—1997年一年间，共发生校内外暴力1241起，受害学生1122人，占在校生总数的10.5%，被抢夺现金12276.25元，物品175件（主要是皮带、钢笔、手表、衣物等）。

2．给校园暴力分类

（1）从表现的形式来分有两种：

经常性校园暴力。是常见的校园暴力，指的是校园内外以大欺小、以多欺少、以强凌弱等暴力行为。一般发生在校园里和学生上学、放学路上，常见的手段是欺侮、殴打、敲诈勒索、抢劫等，其目的通常是索要财物。

突发性校园暴力。是一种具有突发性、偶发性的校园暴力。实施者没有事先蓄意，而是受到刺激后临时起意，丧失理智。

（2）从暴力的性质划分有两种：

非犯罪的。如威胁、辱骂、以大欺小，以强凌弱。

犯罪的。如抢劫、绑架、强奸、强迫卖淫、强迫吸毒，甚至故意伤害与故意杀人。

(3)从实施者目的来划分常见的还有：

掠财型暴力。以占有受害方钱物为目的，是常见类型。多以欺骗（借用）、勒索、掠夺、绑架、抢劫为手段。

帮会型暴力。拉帮结派（跨校区），排斥异己，扩充地盘，崇尚暴力，多以团伙实施出现，并以"保护费"名义，对同学暴力勒索，具有反社会性。据《深圳特区报》报道，深圳福田区某中学初一学生，因不愿加入学生帮派，在校外遭到5人围殴，致轻微脑震荡，昏迷三小时。

施虐型暴力。以摧残对方身体，侮辱人格，满足扭曲心理需求为目的。2004年10月17日，西安某中专学校两名少女因嫉妒一名16岁的女生与其喜欢的男孩关系好，在宿舍内强行脱光该女生的衣服，用烟头烫、仙人球扎、教唱下流歌曲等手段，施虐两个多小时（2004年10月21日，《北京娱乐信报》）。

报复型暴力。因受挫而迁怒被害人（加害人）进而实施暴力。许多加害人本身也曾多次受害后，认同暴力，以暴制暴，多引发群殴。据《时代商报》报道，仅因一只海洋球引起争执，即将升入初三的鞍山女孩小于，被同年级三名女生胁迫到居民楼楼顶扒光衣服进行虐待，致使受害人处女膜破裂，阴道壁挫伤。

歧视型暴力（精神暴力）。对行为异常、学习困难、转学新生、经济拮据、身体残疾等学生进行攻击。主要包括语言侮辱人格、孤立排斥等。此类施暴者多是据有优越感的学生包括学生干部。也是最常见的非肢体暴力。

性暴力。对被害人实施身体性侵害和性骚扰。北京某法警学校，16岁男生赵某，在校学习期间，两次被几名同学在宿舍内鸡奸。

校园暴力发生时以上类型多有相互混合。

3.校园霸王——校园施暴者特点

依据被害学原理，施暴者和受害者（欺负和被欺负）之间是一对相互对立而又相互依存的并具有因果制约性而性质完全不同的两类现象。施暴

者和受害者都具有一定的行为特征。

(1)按施暴人的身份来划分：

校外学生或不明身份者占 53.2%；

高年级同学占 39.0%；

本班同学占 33.3%。

(2)按施暴者的行为和心理特征划分：

通常具有无目标、无希望的人生态度，个性上较冲动、自我控制力差，缺乏合群性与自主性，过于敏感而主观性强，但却又自卑、消极，对读书不感兴趣，因而对学校适应不良，学业成绩低落，常有反抗权威、逃学及奇装异服的行为，并且人际关系较差。

在思考上较外向且具支配性，对外在事务较为不安、较易不满，自我反省能力较差，人格特质上较有自我显示性、轻佻性、攻击性、活动性及易受影响性等倾向。

父母之管教态度以放任为最多。

亲子关系不佳，子女对其父母之评价多半为不满与排斥。

受较多社会环境的挫折，父母较多权威式的教养态度。

4.沉默羔羊——校园受害人特点

根据笔者多年对比发现，遭受暴力的学生在性别、社区环境、家庭背景条件、生活方式及心理特征等方面具有一定的指向性。

(1)性别特点：

男生比女生更容易遭受校园暴力。有 27%的男生亲身经历过校园暴力，而女生只有 7.8%，相差三倍。西方学者认为，在犯罪亚文化中，主要成员是男性。为美化自己的不良行为，侵害的对象也多指向男性。如果过多地指向女性，则有损"男子汉"的形象。此外，笔者认为，随着年龄增长，男生的生活半径如交际圈普遍大于女生，因此受侵害的机会相对多于女生。

(2)社区特点：

居住离学校较远的学生比居住较近的学生容易遭受校园暴力。30分钟路程的学生中，有14.5%曾遭受过校园暴力；30—60分钟路程的学生中有17.9%曾遭受过校园暴力；距学校需2小时以上路程的学生中，遭受校园暴力的是21.7%。

(3)交通方式：

上学的交通方式不同，遭受校园暴力的机会也不同。步行上学的学生中有3.5%经常遭受校园暴力；骑自行车上学的学生中有2.8%经常遭受校园暴力；乘公共汽车的学生中有2.9%经常遭受校园暴力；被专车接送的学生中有8.7%经常遭受校园暴力。

(4)家庭特点：

中国人民公安大学王大伟教授"中学生被害"理论认为，父母学历越低，子女受暴力侵害的可能性越大；父母学历越高，子女受盗窃侵害的可能性就越大。可归纳为暴力侵害低学历家庭指向与财产侵害高学历家庭指向。

(5)消费特点：

零花钱较多的学生较易成为以劫财为目的的校园暴力目标。每月零花钱在50元以下的学生有2.5%经常遭受校园暴力，零花钱在400元以上的有8.5%经常遭受校园暴力。

(6)心理或行为特点：

受害学生与家人的关系不融洽，人际关系不佳、生活不快乐、缺乏自信、自我评价倾向负面，甚而还有心身性疾病的症状发生，较不被老师关心，学业成绩较差。

日本人山畸森肯将受害学生分为三种类型。第一种引发施暴者虐待性暴力型的受害者多半屏弱，施暴者可从暴行中转移自己的挫折或补偿，以满足其施虐及夸耀自己力量的欲望。第二种引发施暴者攻击性暴力型的受害者所占比率最多，且其特征与施暴者相似，均暴躁、难以自制，易引发

两者之间暴力冲突。第三种引发施暴者自卑感暴力型受害者，为学校适应良好、成绩优秀、家庭富有健全，深受老师、异性同学仰慕的学生，因其条件很好而刺激了施暴者的自卑感，而引起施暴者对其施加暴行。

二、校园暴力消极影响及其危机干预

美国一部反映青少年暴力的电影《搏击会》的导演戴维·芬彻说："当一个人的面部被重击时，他对人生的看法就会完全不同。"所以称其为暴力，就是因为任何恶意的攻击行为，都会对一个未成熟的生命构成冲击。

1.对受害者的影响

（1）创伤后应激障碍。中小学生在遭受校园暴力侵害之后，除了机体损伤和财产损失之外，精神上往往也会受到一定程度的损害，严重的会导致精神创伤（危机），从而对其正常的社会生活造成影响，甚至滑向犯罪的边缘。

被害学理论认为，受害人在遭受侵害之后，其精神上的损害表现为短期症状和长期症状两种形式。短期症状包括恐惧、气愤、委屈、不安全、不公平、无助以及报复等感觉。长期症状是指病程持续一年以上未愈的精神损害，如创伤后应激障碍也称延迟性心因反应（PTSD症）。患有此症的学生往往反复回想受侵害事件，极力避免与受侵害有关的地点和情景等。在笔者接触的个案中，占25%以上，其中一位患者受侵害时间，是在八年前。调查发现，厌学、学校恐怖、人际关系紧张、自杀（自残）等多与校园侵害有重大相关。而且，许多受害者曾因长期不堪受辱，而以暴制暴走向犯罪。

《文汇报》（1997年10月4日）报道，1997年4月22日上午，四川省乐山市中区土主中学初三学生毛志雄，独自在家喝下两瓶剧毒农药，不治身亡。他是因不堪忍受同学的长期敲诈勒索与殴打而自杀的。他在遗书中说"……我再也没有勇气活下去了。你们知道吗？上一学期他们借口'要'了我的钱，这次他们又拳打脚踢，甚至说要断手指、杀我……"

(2)反社会行为。国内外研究表明，被害和重复被害，在很大程度上导致青少年的心智损害——毁坏受害者的自信、性格，造成低价值感、习惯性无能感、对社会的不信任感。学生可能会因受到欺负转而欺负更弱小的人；因为自己遭到抢劫或偷窃，而将愤怒指向他人或社会，形成暴力循环，直至仇视社会，发展成反社会的犯罪行为。许多犯罪人在未成年期有重复受害的经历。某未成年人管教所一项统计显示，未成年犯中有87%以上受到过不同程度的校园暴力；50%遭受过3次以上重复侵害；犯罪实施与其受侵害行为有直接因果关系的比例超过20%。

《时代商报》(2004年9月5日)报道：沈阳某初三学生小龙，学习成绩优秀、老实，今年4月份他被同校同学3次堵截，被打，在第4次被堵截时，小龙失手杀死其中一名男孩。据小龙本人讲，他每天生活在恐惧中，不知道谁能帮助他。

2.对社会的影响

校园侵害对少年儿童的影响程度是严重的，它所引发的社会问题使家庭及社会各个方面都相当棘手。

(1)由于校园侵害直接侵害了学生的身心健康乃至生命，不仅给受害学生本人及其家庭带来痛苦和不幸，也给教育行政部门、学校及教职工带来巨大的心理压力和管理上的难题。

(2)给学生及其家庭的财产造成重大损失。

(3)事故的处理过程，使在校生的学习不同程度地受到影响。

(4)造成对社会不安全感，成年人的许多时间和精力被束缚在子女的安全上，不仅给社会带来很大负面影响，也造成社会人力资源的巨大浪费。

3.危机干预措施

危机干预理论将受侵害后的消极心理称为心理危机。危机的定义因人而异,有学者认为,危机是当一个人所遭受到的威胁,已经足以瓦解他处理问题的能力时一种消极应激状态。

应激心理学认为(心理)创伤是一种重大的应激,生理和心理都会作出反应。

身体反应包括:肌肉紧张、胃部不适、心律加快、头晕、疲劳;无力。

认知反应包括:看待自己的方式改变;看待世界的方式改变;考虑他人的方式改变;对环境警觉过度;注意力和记忆力退缩。

情绪反应包括:害怕没有安全感;悲伤、忧愁、抑郁;易怒、愤怒;麻木、无意欲;失去信心、失去自尊;感觉无助;与他人感情疏远。

行为反应包括:退缩或远离他人;回避某些场合;敌对或好攻击;进食习惯改变;性活动增多或减少;对某些事物成瘾或依赖。

校园暴力对于受害者和目击者及其相关人员如家长或教师都会造成不同程度的消极心理。因此及时进行校园心理危机干预是防治心理创伤、避免暴力升级的必要措施。

校园危机干预是一个帮助学生及相关人员重新恢复到平衡的心理状态的助人过程,而在这个过程中,助人者将帮助受害人提升处理事务的能力,或者提供受害人一些有效措施,来帮助受害人掌握他所面对的困境或压力。干预同样包括对施暴人的心理干预和司法介入。危机干预的主要目的在于对处于危机状态的学生给予立即性的照顾,以使学生能在最短时间内重新发挥正常的功能,或维持最基本的生活能力。

危机干预至少包括三个项目:第一是预设危机,目的在于进行预防危机发生的工作;第二是危机管理,内容涵盖了现象评估、拟定策略方案、执行策略方案、监控方案实施等多项步骤;第三则是追踪阶段,目的在于确认危机处理的成效。

三、校园暴力的成因

校园暴力的存在有其复杂的社会、文化和心理的多重因素,盘根错节。校园暴力是整个社会犯罪大背景(如犯罪高峰期)的缩影,是社会发展过程中各种矛盾、冲突的迁移。

1.校园暴力的心理学、社会学依据

(1)侵犯性是人的本能。弗洛姆指出人有两种完全不同的侵犯性。一种是"良性侵犯",是人与其他动物共有的侵犯性,这是当他的生存利益受到威胁时,所产生的攻击(或逃走)的冲动,是个体和种族的生存所必需的,它是生存适应性的,而一旦威胁消失,它也跟着消失。第二种"恶性侵犯"即破坏与残忍。是人类特有的侵犯性,它不是生存适应性的,它无目的可言,除了满足凶残的欲望之外,别无意义。青少年的攻击行为具有一定的本能性,是一种心理能量的无意识宣泄。暴力行为不可避免。只能进行约束,但无法进行消灭,他总会以其他的方式表现出来。

(2)青春期消极情绪体验。情绪状态是心理健康的重要指标,从儿童期进入青春期,其思维的深刻性和批判性的提高,他们对社会的复杂性以及个人能力的局限性有了越来越深刻的认识,这使他们失去了童年时的美好精神乐园,越来越清楚地看到生活的艰难和未来的迷茫,仿佛亚当和夏娃吃了智慧果,突然认识到自身的尴尬和人类的缺陷。而其不成熟,导致认识问题的观点难免偏激和片面,容易产生一些极端的消极情绪。据一项对青少年的心理调查显示,13—19岁之间愤怒与敌意、迷惑与混乱、紧张与焦虑、抑郁与沮丧等消极情绪呈明显的线性增长趋势,消极情绪的增长总分达到显著水平。分析得出,初三阶段的情绪与青少年认知能力发展密切相关,而高中阶段则是青少年面临高考压力的结果。虽然青春期消极情绪具有阶段性,但消极情绪的不断积累,如果缺乏有效的渠道宣泄,就会导

致暴力。

(3)青春期恐惧症。这是西方学者提出的概念，认为在中学阶段，男生容易卷入暴力行为。因为这一阶段男性肌肉开始发育，但不够发达，个人的成就感不强，不足以展示个人的魅力并得到社会的承认，故男生希望通过暴力行为获得社会的关注。男生此时已有萌发的性冲动。一方面希望通过暴力行为获得社会的关注；另一方面也想通过暴力行为向女性展示自己的勇敢与力量，这其中也包括来自同辈的压力。而对于受害学生也同样面临类似心理，面对伤害，不报告，忍辱负重，惟恐被冠以胆小怕事的"孬种"。这是校园暴力的亚文化特色。

(4)暴力习得。暴力攻击可以后天学习，攻击行为是人在社会化过程中通过"学习"逐渐形成的一种行为方式。在家庭、校园强者对弱者的暴力示范中，认同暴力是强者的证明，习得暴力是解决问题的行为模式（低代价、见效快）。在暴力行为中，施暴者可以体验到有了力量后就可以得到很多梦寐以求的东西，而且从中能找到自尊，感受当强者的快乐。他们考虑的不仅仅是物质的占有、对他人的伤害，更多时候是出自对自我的感觉、自我力量的肯定；暴力文化商品化，使暴力刺激成为缓解精神压力的手段之一，媒体中（电子游戏）过度的暴力刺激，会让青少年感觉麻木，同时对暴力的恐惧感、道德感、负罪感都因此而减轻。

2.应试教育的隐性伤害

(1)自我肯定性侵犯。应试教育过于重视学业成绩，为了提高教学质量（升学率），教师和家长将压力转移到学生身上，偏离人本文化的轨道，师生关系和亲子关系成为"策"和"马"的冲突关系，速度越快，摩擦越大，导致矛盾激化，致使某些学生易受挫折而制造失意者，继而标签以"问题少年"而遭弃，客观上制造"心理创伤症候群"。为抗拒"忽视"和"冷漠"，暴力就会以一种最直接的方式强行接触，即以破坏性行为强迫人们认识到它（他）的存在，形成"自我肯定性侵犯"，暴力具有了象征性。由于教育资源有限，我国现阶段的应试教育是一种淘汰机制，这样的教育体制是一个很容易制造挫折，否定自我，给孩子带来极大心理负荷、环环相套的缺少人性关怀的体制。一种偏激的观点认为，中国人的教育过程，就是一个以牺牲人的尊严为代价，求得功利目标实现的过程。于是校园暴力成为相当一部分青少年化解情绪、排解压力、获得"权力"（课堂得不到的）再分配的极端手段。

(2)**教师的不良示范。**教学过程中，部分教师不顾学生的人格尊严，以贬损学生的态度劝止学生干扰教学的行为，甚至升级为身体攻击（如体罚），这种具有攻击意味的言论与施暴动作，往往对学生起到暗示和示范作用。在老师的"影响"下，学生群起效尤，施暴于其他弱势学生，而无人出面制止。《聚焦新生代》关于校园暴力的一组数字表明暴力来自班主任老师的占12.2%；体育老师11.4%；教导处老师11.4%；任课老师8.9%。来自老师的暴力不容忽视。

2003年6月3日《北京青年报》报道，延安市宝塔区某中学初二学生、16岁的雷某被他的同学15岁的魏某勒索时发生口角，魏某用石块将雷某砸死后掩埋。受害人生前遭受师生歧视和同学勒索。在他的日记中记载着这样一句话："在长庆的校园里学习四年，四年来遭了殃，老师同学把我骂，看不起我。"

(3)**成人忽视校园暴力危害。**台湾一项调查显示，教师和学生对于校园暴力的概念和伤害程度在认知和感受上存在较大差异。就学生而言，他们认为自己并没有得到适当帮助，但是就教师而言，却认为学生已得到充分的帮助了。换句话说，教师或父母并没有重视孩子们的感受（暴力与威胁），长此以往，受害者会陷入"习惯性无助感"即因长期得不到有效帮助（面对暴力）而放弃自救，任其泛滥，客观上对施暴者姑息。山东师范大学心理系张文新教授对"校园欺负"调查显示，在小学阶段学生受欺负告诉父母的比例59.6%；告诉朋友的比例48.9%；告诉老师的比例42.3%。在中学阶段受欺负后，告诉朋友的比例63.8%；告诉父母的比例34.9%；告诉老师的

比例25.9%。无论是小学还是初中阶段，学生被欺负后告诉老师的比例都是最低的。不能正视现实就无法改变现实，忽视校园暴力的深层次根源是轻视儿童的利益，忽视他们的呼声。

3.家庭控制减弱导致传统教德教育缺失

工业社会，住房宽裕、就业机会增加、家庭人口减少、离婚率上升，传统的家族式大家庭解体，家庭中基本的道德教育与养成弱化，儿童的早期道德判断没有在家庭中完成，导致社会适应能力较低。大量研究已经发现，具有侵犯性的人在认知发展和社会发展方面有缺欠，缺乏人际交往的技巧。而且，家庭控制弱的孩子，容易加入暴力团伙。施暴学生的家庭大都有如下相同特征：

（1）父母忙于工作，亲子关系疏离。

（2）父母较少参与、配合学校举办的亲职教育活动。

（3）父母对子女的管教丧失信心，缺乏指导能力。

（4）父母的管教方式不当，如过分的苛责或溺爱、父母的管教方式不一致，或父母对子女期望过高，致子女做不到而感到失望且失去信心。

（5）家庭不和谐的气氛，使子女感觉家庭冷漠、缺乏关爱和安全感。

（6）家庭暴力、虐待情形较频。

（7）父母染有恶习或犯罪行为，子女耳濡目染习得不良行为。

（8）实质上或形式上的破碎家庭。

（9）家庭经济水准低于一般的家庭。

4.受害个性特征与自我保护意识欠缺

被害学者认为，被侵害人本身某种特性，是诱发施暴人实施加害行为的一种带有主动诱使和强烈刺激的因素，或者是施暴人实施侵害行为时可以利用和必须利用的条件。如果不存在被侵害人方面的这些因素和条件，侵害行为很难发生。

以下类型是校园暴力中常见的受害人特征，其本身的一些条件是诱发侵害的刺激条件。

（1）自大型：此种人常被人用"拔奋"、"牛气"、"嚣张"等字眼形容，由于他们的行为较为拔扈，相对的也容易引起别人的反感而成为被害者。

（2）自卑型：此类人对自己没信心，觉得自己没价值。其身体语言表现容易让人觉得"一副好欺负的样子"，而成为加害者觊觎对象。

（3）孤独型：此类人经常单独一个人行动，缺乏同伴，一般而言，加害者不会去加害一群人；相对而言，若经常单独一人，则增加了被害的可能性，而且一旦受害不易被发现。

（4）显富型：此类人相当喜欢摆阔，经常有意无意地炫耀自己的财富。在恐吓行为中，金钱经常是主要的标的物。因此，显富型者就容易成为被害者。

（5）好欺负型：此类人当被欺负时，只是怨在心理口难开。一般而言，是怕说出去后又遭更强烈报复，所以"闭口不提"、"自认倒霉"。但此种反应使加害者更变本加厉、肆无忌惮，认为恐吓此类人是妥当的，因为他们没有勇气提出抗议。

概括起来受害学生在自我保护意识和能力方面存在以下方面的不足。

（1）自我防范意识存在着盲区：即自身存在诸多受害风险因素却自以为安全；

（2）防护知识存在空白区：即对可能遭受到的侵害在如何预防、斗争的策略上缺乏知识；

（3）心理应对的障碍区：即由于受到以往的创伤、挫折、压力的影响，或由于自身性格局限而导致临界反应出现障碍；

（4）适应社会、寻求帮助和援助的迟钝区：即受害学生认识社会的能力即自我调试的能力较差，面对逆境和险境时，不知或不会在应对危机事件中寻求帮助和援助，反映出迟钝状态。

四、爱我，请不要伤害我——校园暴力预防

预防与遏制校园暴力是当前未成年人保护所面临的一项实践和理论课题。它不仅涉及未成年人生命权、财产权等合法权益的保护，同样也是一项预防青少年犯罪的重要途径。是标本兼治，综合治理的系统工作。校园暴力与社会发展时期所面临的各种矛盾冲突一样是社会变革发展过程中不可避免的问题之一。预防与遏制校园暴力还需要相当长的过程和各方面的齐抓共管。根据可控和不可控理论，即宏观大环境的不可控，而微观小环境的可控，如社区、校园、学生本人等，笔者总结国外及港台地区较成功的预防策略，建议推广以下措施：

1.校园安全计划。即学校制定暴力预防管理计划。主要包括安全目标管理：确定第一责任人；明确安全指标；建立"校园暴力防范与处理小组"，主要人员包括：校长、保卫负责人、年级负责人、律师、家长委员会代表、校医、心理辅导员、司机、门卫、社区警察等（以上人员最好能接受40小时以上的危机训练）；制定预防暴力措施，如课间巡视制度；危机预警和干预制度（发生时的措施）。

其次，有条件的学校可安装闭路电视监测纪律混乱区，并且配备负责安全的警卫人员。

第三，开设"防校园暴力课堂"（参见"良师计划"），丰富现有的品德课和法制教育的内容。

第四，开展丰富多彩的课余生活。国外研究发现，施暴人与其身体发育迅速，运动不足，及缺少表现自我的机会有密切相关，因此丰富多彩的文化娱乐活动，使青少年充分发泄身体能量的同时，渴望被承认、被重视、被欣赏的愿望得到实现，起到预防暴力，挽救边缘少年的功效。

2.社区安全计划。聘请社区退休、待业人员加强上学、下学途中的护送，或帮助学校在校区周围监督、调解学生之间冲突、暴力。并对社区内的家庭暴力监督调节。

3．自我保护计划。既然暴力行为不可避免，只能进行预防。所以，针对全体中小学生（幼儿园），进行被害预防训练，提高自身的防范意识和技能是及时和必要的，如暴力前的识别危险；暴力中的对应策略；受害后主动自救等。截断或弱化受害方的不利因素，降低受害性。

4．同伴保护计划。同伴是校园暴力的主要目击者和知情者，同伴计划包括如何帮助受害人阻止暴力侵害、主动告诉（学校或家长）、情感支持等。

5．良师计划。教师是预防校园暴力的第一道防线，教师可通过专门的课程开展教育。其主要内容包括：如何降低学生的学习失败感；改善学生的自我概念，创造归属感；传授交友技能；演练"万一……怎么办"；帮助学生识别施暴人；训练愤怒情绪管理；心理辅导等。良师计划还包括对教师本人的心理卫生保健，防止因教师的心理衰竭客观上造成对学生的消极影响。

6．亲职计划。对监护人的亲子观念、方法给予正确引导，减少家庭暴力的消极影响，健康和谐的家庭关系是减少校园暴力的基础。

7．尽快出台《校园安全法》，使校园安全管理有法可依。尽快完善《未成年人保护法》，使忽视未成年人利益的现象得到改观。

五、结束语

我们的教室是这样一个地方

我们所有的人不必都成为同样的人。

我们所有的人不必都去想同样的事。

我们所有的人不必都去做同样的事。

我们所有的人不必都去说同样的话。

我们所有的人不必都去穿同样的衣服。

我们所有的人不必都去相信同样的事。

我们有权成为我们自己。

我们喜欢人人都有差异。

我们知道我们的差异使我们更有趣和独一无二。

我们以做人、做事和信仰不同为荣——即使我们意见不一。

我们尽最大努力去和平地解决问题。

我们仗义执言，如果我们看到有人遭受不公正行为。

我们以自己希望受到的待遇来对待别人。

我们相互尊重。

作者单位：北京市法律与心理咨询中心

董小苹　程福财

都市辍学青少年现象及策略思考

一、问题的提出

"辍学"在空间的意义上，似乎只是与老少边穷地区紧密关联，自1986年义务教育法颁布实施以来，有关老少边穷地区儿童的失学问题，无论是政府、社会还是个人，都给予了前所未有的关注。然而，大都市里的辍学青少年问题则很少进入这些影响广泛的针对辍学问题的社会运动过程的视野。人们一般认定，在经济发达的大城市，特别是国际化大都市，辍学问题不再是城市社会里需要社会动员来解决的社会问题。但是，大都市里的辍学问题的存在，却丝毫没有因为人们的如此美好设想而消除。

尽管有关部门对大城市中小学生的辍学问题讳莫如深，甚至根本否认辍学问题的存在。可是，只要粗略地比较已经公开的统计数据，我们并不难发现这一问题存在的严重性。1996年秋，上海初一招生数为186315人，1999年秋的初三毕业生人数为179486人，有6829名1996年秋季入学的初中生没有如期毕业；1996年秋，上海高一招生数为53497人，1999年秋的高三毕业生人数为53317人，毕业生数与招生数的差额为180人。1997年

上海职业学校与技工学校的招生数分别为43140人和19654人，2000年，它们的毕业生数分别为39859人和18606人，差额分别为3281人和1048人。可见，有不少中学生、三校生未如期毕业。

在城市的霓虹灯下、网吧酒吧间里、游戏厅中以及郊区破陋的旅馆中，常常闪现一些本该留在学校读书的毛头孩子。2000年，上海社会闲散未成年人犯罪大幅上升，竟占所有未成年人犯罪案件的51%，比前一年增加了10个百分点。目前，政府有关部门，如共青团组织、青保办等，已经对此予以一定的重视，并且在实务的层面上做出了具有一定成效的探索。但是，就我们目前掌握的文献看，大部分的解决措施都只是停留在头痛医头的治标层面中。具体地说，当下有关城市闲散未成年人犯罪的研究文献浩如烟海，却未见有探索城市闲散未成年人闲散生活成因的系统研究，即使是针对这些青少年的生存状况的学术文献亦十分少见。

本文以上海为例，探讨以下问题：大都市辍学青少年的状况如何？是什么因素使得他们偏离社会的一般规范离开学校走上辍学的道路？辍学青少年是以怎样的方式展开他们的日常行动的？如何解决国际化大都市里的青少年辍学现象？

二、没有贫困的辍学

远离了贫困的大都市，中小学生辍学现象为何依然存在？是什么因素在与《义务教育法》抗衡，生硬地将学龄青少年从学校生活中剥离？

1. 教育过程的"合理化"与青少年辍学

当下的中小学教育，无论人们怎样强调其素质教育的一面，其作一种选拔性的精英式教育的属性并没有改变。尽管中考、高考的录取率已有非常显著提升，但是，无论是中学还是大学，无不有重点非重点之类的高低

等级之分。倘若不能进入重点中学，意味着将来考上大学，特别是考上重点大学的概率将显著降低；倘若不能进入大学，特别是不能进入重点大学，学历社会的运作逻辑将把毕业生生硬地边缘化。在这种制度安排下，学校教育的评价体系顺理成章地将分数、升学率置于重心。可以预见的是，只要学历的意义不变，大中小学的等级之分不变，以追求分数与升学率为目标的教育过程就将延续，学校教育的合理化过程也不会停止，教育将培养人的职能异化为制造机器的现实也将延续，学校便会一如既往地成为"肉类加工厂"。

但是，青少年并不只是一个物理意义上的存在，更是鲜活的人。教育过程的合理化，正冠冕堂皇地将一部分青少年赶离本该属于孩子的天堂的学校。在失去贫困这个变量之后，教育过程的合理化不光彩地成为了大都市里辍学问题的源头。我们不能苟同那种将都市辍学青少年的原因归咎于个体心理的疾患的解释。所谓的"个体心理疾患"，其实质是不合理的教育过程的产物。更直接地说，对于很多辍学青少年而言，并不是他们想离开学校，而是学校与现存的教育体制将他们无情地驱赶出学校的大门。让我们一起来解读个案 A 的两次可能辍学经历：

个案 A（男生，上海人，初一），A 的身体壮实，爱打篮球，上课较随意，作业常常不交，学习成绩属班级倒数，平时较散漫，对老师的批评不是顶撞，就是沉默不睬。班主任认为，A 是个品学兼差的后进生，又与别班的后进生做朋友，家长又不配合教育，只有去工读学校才能解决问题。

开学前一天，学生返校领书、交寒假作业，A 的《读后感》未做。班主任（女，语文教师）在全班同学面前批评他，对他说："你该去新晖中学（原工读学校），怎么还赖着不去呀！"还打了他"头塔"，这使 A 自尊心受到伤害，回到家大哭一场，对他母亲说："我恨不得杀掉她"，并表示不想上学了……他认为，自己虽然有不少缺点，学习成绩也不好，但并不是班中品学最差的，现在，班主任当着全班同学的面，说的那些刺激他的话和打"头塔"，极大地伤害了他的自尊心，觉得老师是存心要"做"他，他即使再努力也是

没有希望了，因此就不想上学了。A还谈到，从小学到中学，绝大多数班主任都经常骂他、罚他，有时打"头塔"，差不多都是为了学习成绩问题。

心理辅导老师从比他高一年级的优秀学生中，找到一位也是离异家庭的女生小王同学与他交往，帮助他消除不良情绪，改善其人际交往的不利状况。A开始在一些学科的课堂表现和交作业方面有了积极的变化。他主动要求小王同学在暑假里帮他补课，从"厌学"到"要学"，这是自信恢复的信号。在暑假期间，A真的开始用功了，由于小王同学的介入，本来枯燥的学习变得有趣了，懒散的学习作风和生活习惯开始改变了。正当他满怀信心进入初二新学期时，迎接他的却是一盆凉水。学校决定将包括A在内的各班品学最差的十二名学生（包括单差生）单独编一个班。理由是搞"分层递进"的实验，并配备了一名班主任。开始时，A常常在这个班中因表现好、成绩好受到班主任表扬，并且期中考试成绩成了这个班的第一名，但是时间一长，这批后进生的消极面所产生的合力开始显现。正常的教学进度不能完成，基本教学要求不能达到，课堂纪律不能保证，使A与原来班级同学的学习差距拉大了，更由于小王同学面临初三毕业的关键时刻，抽不出较多的时间为他补课，这些多少给他心里蒙上了一层阴影，影响了他的自信心。最后通过期末考试，A与其他三位同学仍然凭借自身努力，以这个"实验班"的最好成绩被调回原来的班级。于是他又面临这样的选择：继续苦苦追赶，却绝无可能赶上，如果努力的结果仍是失败，他还会具有自信吗？或者停止追赶，过一天算一天；或者另外寻找一条新的出路，他会如何选择呢？

A"作业常常不交……平时较散漫，对老师的批评不是顶撞，就是沉默不理睬"的行为，是一个典型的"差生"的行为方式。A为何这样行为，我们不得而知，但是，A的第一次要求退学，与后来的可能退学的原因都非常明确。一方面，是班主任在全班同学面前对A的批评与体罚使他第一次"表示不想上学了"。显见的是，除了批评与体罚外，班主任还有对A离开现在的学校并去工读学校接受"再社会化"的历史。引起我们注意的是，我们的调查多次表明,不少辍学青少年(比如下文将提及的个案 D)在学样读书时,都曾经被校方建议去工读学校。这个建议,说到底,实际上是试图将校方眼中的"差生"赶出学校的大门。调查中,一些社区民警对此义愤填膺。他们认为这种做法其实是学校推脱教育孩子的责任、追求升学率的结果,是非法剥夺青少年接受教育的权利的违法行为,可能葬送很多孩子的前程,因为现在的工读学校在很大程度上不是教育人,而是在培养罪犯。另一方面,是学校所谓的"分层递进"的实验使 A 的学习环境恶劣起来,并面临着又一次可能退学的选择。这种隔离式的教育实验,人为地将学生分为三六九等,粗暴地给一部分学生贴上"差生"的标签,并剥夺了其享受正常的教育氛围的权利,进而剥夺了部分学生的就学动机,让他们感觉学校生活索然无味,并产生辍学想法。显然, 原本并不是 A 自己想退学不读书,而是班主任与学校的教育实验逼迫 A 离开学校。成绩差的学生的离校,意味着在计算升学率的时候,"分母"被自然地缩小了,升学率因此非常容易地得到提高。

但是,在这里,我们并不是简单地将 A 的两次可能辍学的责任归咎于其班主任及其所在学校。行动者的行动总是镶嵌在一定社会情境中的。在某种意义上,个体的行为实际上是由其所在的社会结构所决定。事实上,班主任的行为也是在特定的教育环境中进行的。若非以升学率与平均分为考核重心的评价体系的存在,班主任并不一定会如此粗暴愤怒地对待 A,更不会残忍地建议 A 去工读学校,毁 A 前程;学校也不会搞所谓歧视性的"分层递进"实验。班主任在面对 A 时的行动方案与 A 所在学校的"分层递进"实验,都是选拔性的精英式教育的结果。而这种教育模式的变革,又绝不是 A 的班主任及其所在的学校所能主导的。从这个意义上说,远离了贫困侵袭的都市青少年的辍学,实际上是现行教育体制与社会结构的产物。

2. 父母离异、家庭教育失位与都市青少年辍学

父母离婚之后,孩子的去向通常有以下几种:一是归父母中的一方,

关注成长

并且父母不再婚，孩子进入单亲家庭；二是归父母中的一方，但父母再婚，孩子进入再婚家庭；三是被父母抛弃，孩子由其他家庭或社会机构抚养。孩子成长环境的根本改变——从出生家庭向单亲家庭或再婚家庭的转变，从亲生父母共同担负教育职责向父母中一方单独承担教育责任或者无人承担教育责任的转变——将给其受教育过程带来很大风险。现实中，父母的离婚往往成为孩子教育失败的代名词。在上海这样的现代大都市里，父母在解除婚姻时，如若不能对孩子的教育问题作出妥善有效的安排，常常会使得孩子中断自己的学业。

个案 B 的经验，能够进一步加深我们有关于此的理解。

个案 B（女，1986 年生，上海人），8 岁那年父母离婚，她和爸爸住在一起。一天晚上，她怕爸爸打她，逃出去找妈妈，可妈妈也不在。当年，B 留了一级，再后来是退学。她的理由是"讨厌别人骂自己留级生"。爸爸被人骗走十几万元后，开始吸毒，把住房租给别人，换钱买毒品，B 无家可归。至于妈妈，已不知去向。就这样，B 没有监护人，没有经济来源，没有住所，没有学上。6 年来，B 一直在社会上"混"，搭识了一大帮同龄朋友，有钱就去游戏机房玩通宵；要是没钱，大家就睡在人民广场的石凳上过夜。实在撑不下去的时候，B 就去陪客人喝酒。B 有过好几个"男朋友"，年纪最大的超过她爸爸。"我和现在的男朋友在一起，只不过是为了有地方住。"B 说……去年她吸过一次毒，想安静地死去，可被朋友救了回来。

1998 年，B 的邻居向居委会反映，有这么一个适龄孩子辍学了。居委会将她安排在地区某小学 2 年级试读，而这时她已经是一个 12 岁的女孩子，比班上同学高出大半个头……B 在校不到一个星期就开始逃课，从来不交作业，后来还发展到偷同学的钱。其他家长怕 B 带坏自己的孩子，联名强烈要求将她调出这个班级。后来，这所小学的教导处出具了一份情况说明："该学生（B）由于长期弃学，心理上发生较大变化，沾染了社会上一些不良习气，组织纪律松懈，严重违反课堂纪律。上课不认真听讲，随意旷课，还影响周围的同学。前不久班级进行教学单元测验，她数学成绩只得了 15

分。"街道有关单位就此做出处理意见："该学生情况特殊，建议暂作休学处理为妥。"B 的求学生涯不到一个月便再次中断。

这是一则有关父母离婚与孩子辍学之间逻辑关联的经典个案。父母的离婚，导致 B 家庭环境的巨变，更使其失去了一个获得有效的家庭教育必须的条件。父母亲在孩子教育问题上的失位，是父母离婚后的孩子普遍面临的问题。由于害怕父亲的打，B 决定去寻求母亲的慰藉，这是一般孩子的通常行为模式。可是，B 的母亲却"不知去向"。她无法享受到一般孩子能够感受的家的温馨，得不到一般孩子在社会化历程中都能得到的来自父母的关爱与抚育。显然，B 的遭遇并非不具有代表性。B 所以不敢回与自己住在一起的父亲那里，是因为经验告诉她，父亲脾气暴躁。而暴躁则是离婚后的离婚者的通常行为。在离婚之初，任何一位离婚者都无法如离婚前那样心平气和。他们的心理、精神遭受重创。已有的研究表明，"无论是在身体健康方面，还是在行为表现上，或是对情绪的影响方面"，人们在离婚前后都有显著性差异。离婚的负面影响具有普遍性。因此，离婚当事人的孩子，无论跟随父亲还是由母亲监护，他们首先感受到的将是父亲或母亲由于婚姻不幸所产生的气愤、抑郁、烦躁等消极情绪。他们无法得到正常家庭的孩子经常得到的，也是任何孩子成长必需的精心管教与呵护。他们的监护人在离婚之初仍然沉浸在离婚的余震之中，自然不可能将足够的精力投于孩子的教育。可是，一旦孩子出现差错，刚刚离婚的父母便会用简单粗暴的方式去处理，这是他们解气的天然通道。

在单亲家庭中，单亲纵有育子之心，亦无育子之力。离婚必须将大量的精力用来解决离婚后家庭经济收入的降低与实际生活困难的问题，单身的父亲或母亲还要应付通常由夫妇两人共同完成的家庭日常事务，他们没有足够的时间用在孩子的教育上，即使他们明确地意识到应该竭力教育好孩子。从 B 的情况看，在某种意义上，其父在被人骗后的堕落，实际上，是导致 B 与学校生活进一步远离的直接原因。

父母离婚的孩子还常常成为社会教育、学校教育的歧视对象。人们根

据经验认为，单亲家庭的孩子往往是"问题儿童"而把他们排除于其他孩子群之外。一部分教师在课堂上总是把单亲家庭的孩子视作"不可教的破坏分子"。毫无疑问，这样的歧视对父母离婚的子女的健康成长有巨大的负面影响， 易在其心理上造成压抑，使其学习受到影响，上课分心，注意力不集中，甚至会影响到孩子良好道德品质的形成。从个案B的情况看，其辍学的最直接原因是"讨厌别人骂自己留级生"。显然，B在学校里遭受的歧视已经严重影响到其学习。而且，歧视B的，并不只是她的同学，更有其身处的社会。无论是其所在班级同学家长的联名上书、学校教导处出具的"情况说明"，还是街道的"处理意见"，无不浸透着我们这个鄙视离婚过程的生活世界对于离婚者及其子女的歧视。对于如个案B这样的父母离婚的青少年而言，这种歧视的结果便是"求学生涯不到一个月便再次中断"。

父母离婚对孩子的负面影响已经得到实证研究资料的支持，参见表1。

表1　　　　　　　　　离婚头6个月儿童情绪发生率

情绪	完整家庭%	离异家庭%	Z
易发怒	5.15	17.02	7.731
易烦躁	4.29	16.02	7.934
爱哭	13.25	24.2	5.777
情绪低落	3.07	23.43	11.696
经常发呆	2.7	24.31	12.87

资料来源：傅安球等著《离异家庭子女心理》，浙江教育出版社，1993年版，第136页。

3.互联网的双刃剑作用

网络是一个虚拟的世界，在这里，你可以随意扮演你想要的角色 ，不必为自己的身份、地位甚至外貌形象而担忧。那份洒脱，那份随心所欲的轻松，是现实生活无法实现的，因而成为吸引无数青少年的原因之一。据不完全统计，上海经过许可经营的网吧约有1600余家，规模最小的按规定

须有20台以上计算机，规模大的多达100—200台。另外还有约千余家无证经营的地下网吧。经过多次治理整顿，目前上海网吧总数仍在1500家以上。它们成为辍学青少年打发时光、交友与集体行动的重要场所。保守一点估计，网吧每天违规接纳的未成年学生不下10万人次。

网吧的老板尽管把未成年人上网的有关规定高悬在网吧入口的门框上，但是，辍学青少年与他们的互动经验告诉他们，那仅仅是一个形式，一个应付有关政府部门检查的形式。事实上，这样的检查并不常有，即使有，也并非名副其实。在这里，经营网吧的商人、有关职能部门与迷恋网络游戏、网络聊天的未成年人达成了一种默契。商人逐利，依照市场机制行动：无论你是谁，只要你交费上网，便提供你足够的服务；有关职能部门寻租，利用公共权力谋取私人利益：无论网吧业主是谁，只要你提供足够的租金，便给你敞开政策的大门，关于未成年人上网有关规定的出台，似乎只是政府有关部门出于扩大自身权力以牟利寻租的需要；对于终日受家长、教师与学校制约规范的青少年而言，收费低廉的网吧雪中送炭般地为其提供了完全开放而快乐的活动平台。在这个完全平等而匿名的平台上，年幼的青少留连忘返，沉浸其中，不少人患上网络成瘾综合症。不少青少年，甚至由此离家出走，中断自己的学生生涯。下面的一则材料，有助于我们更好地理解网络之于青少年辍学的意义。

"'杨雪'与'布娃娃'是上海澎浦地区初三的两名同班同学，自去年迷上网络聊天就沉溺在其中不能自拔，网络成了她们精神的寄托，在网络这个虚拟的世界里，两个女孩找到了快乐与满足……

"'杨雪'与'布娃娃'都是好女孩，'布娃娃'是团员，还是语文课代表，在老师和父母眼里，两个小女孩在学校还是比较听话的好学生……老师的评价是：一个成绩中等偏上，另一个稳中有升，出走前的考试成绩还是有进步的。

"网吧，一个走向神话世界的入口，这两个初三的女孩每周最少要去两三次，从来不曾逃学的'杨雪'，甚至为上网聊天而逃课，晚上在网吧留连

到八九点。'杨雪'的母亲曾于晚上9点在网吧揪出沉溺其中的女儿,并狠狠给了她几个耳光,但是迷恋于网聊的女儿并没有因此而清醒……

"这次她俩是有计划地出走,她们曾在QQ上商议如何在码头相会。'杨雪'在父母和舅舅处筹得250元,加上自己一直舍不得用的100元压岁钱,拿了几件衣服,其中有还没晾干的。'布娃娃'一个星期中,每天都穿二三套衣裳出门,秋冬的衣服就这样悄然准备着。10月9日,她俩不辞而别,没有给家人留下任何线索。"

三、辍学青少年的生活实际

由于大多数父母与自己辍学孩子的关系紧张,家庭通常难以成为其寻找快乐的港湾。离开了本该在其内的学校,却又够不上法定的就业年龄,大都市里的辍学青少年似乎无处可以容身。已有的社会秩序,容不得这些背离社会时间(Social Timing)的青少年充分地自我发展。更直接地说,在上海这样的大都市里,辍学青少年的生存空间其实非常狭窄、非常边缘化。这些尚无独立生存能力的孩童,更多地将他们的身体放置在网吧、电子游戏室、城郊低级旅馆与灯红酒绿的城市街头。他们一起嬉戏,一起"胡作非为",共同的生活经历迅速地使他们成为同党。

1. 从虚拟生存迈向越轨深渊

从当初对学校生活的厌倦开始,到离开学校后的辍学生活,互联网似乎与都市辍学青少年之间有着不解之缘。无论白昼黑夜,人们都可以在遍布上海的网吧中看到闲散未成年人的身影。他们在这里怡然自得地开始着自己虚幻而快乐的辍学生活。少男少女们不知疲倦地在网络的世界尽情地冲浪游戏,尽管困乏写满其稚嫩的脸庞,他们乐此不疲,因为这里没有歧视,没有等级,也没有家长无穷尽的唠叨抱怨。网吧世界,人人平等。饿了，网吧提供食品；渴了，网吧兼售饮料；困了，网吧里可就地休息。网吧老板的游戏规则非常清楚明确，任何交纳规定上网费的人，不问出处，平等上网；网络世界里"没有人知道你是一条狗"，个人背景信息的隐匿，让辍学青少年深刻感受到了学校与家庭缺乏的人人平等的互动经验；网吧间里其他的上网者，则大多是因为上面的两条原因而来到网吧的，他们志同道合相见恨晚。毋庸置疑，对于都市里辍学的青少年，网吧是个温暖充满人情味的家园，让其留连忘返。

网络游戏、网络聊天（交友）与网吧聚会是都市辍学青少年在网吧里的主要活动内容。对这些活动的过度投入往往具有很大危害。一方面，长期浸淫网吧可能危害身体。大多数"网吧"光线昏暗，空气不流通，而且在夏日高温下十分闷热。有限的空间里人数过多，导到空气浑浊，加之不少人吸烟，网吧空气质量常常很差。而且，长时间用眼、精神高度集中、受计算机辐射危害，对辍学青少年的视力、体力显然不利。另一方面，长期的网络生活，可能进一步将辍学青少年引向与社会规范对立的一面，诱发其犯罪。在国际互联网的信息总量中，许多带有不同程度的色情内容，尤其在电子公告栏储存的数据图像中，淫秽、不健康的内容占了相当比例。五花八门的"网吧"泥沙俱下，一些见利忘义的"网吧"经营各种非法游戏，大量充斥凶杀和暴力，甚至还有黄色、淫秽图片。而且，网吧汇聚各种人群，不少行为不良的人员也混杂其中，对未成年人有着极大腐蚀作用，不少孩子在网吧沾染上了不良习气。置身于如此污浊的环境中，本来就已经与社会秩序不协调的辍学青少年们很难健康成长，以致痴迷其中而不能自拔。普陀人民法院去年判决的一件贩毒案中，被告人谷某刚满17岁。谷某两年前在网吧聊天寻友，结识了有吸毒行为的青年张某，不久与张非法同居，并受张某影响染上吸毒恶习，后来谷在张的指使下参与贩毒，被判处拘役4个月并处罚金。

未成人上网，常为"网资"不足煞费苦心，极易诱发违法犯罪行为。下面的个案资料便是关于此的最好例证：个案C，1985年生，上海人，2001

年与另两名辍学青少年一起因暴力抢劫在押看守所。C荡在社会上的年数不短。他是游戏机房的"老客户",每天早上八九时"报到",一直到晚上七八时才出来,连中饭都在里面吃。他所有的朋友都是在游戏机房里搭识的,大家没钱花的时候,就会去干打架、抢钱之类的出格事。

2. 城郊旅馆的群居生活

辍学青少年对自己的父母与家庭大多抱有畏惧、敌视与逃避的态度。他们并不乐意呆在家中,而更愿意与自己的伙伴日夜厮混。住所的缺乏与没有固定收入的现实,让他们委身于城郊低级旅馆。这里相对比较松散的管理与低廉的住金,对他们具有巨大的诱惑力。在那里,都市的闲散未成年人过着群居生活。他们几个人挤在一间,不分男女。旅馆生活只是这些已经离开学校的辍学青少年试图回归群体性生活的努力的一部分。下面的两则个案资料,也许会给我们提供有关于此的更好理解。

个案D,1984年生,上海人,1999年读初中预备班时辍学。"在预备班的时候,我并不是个违规的坏学生。只是因为学习成绩差,老师非常讨厌我,总是嘲笑我,恨不得把我送到工读学校去。后来,学校里还'认真'地建议过我去工读学校。我的成绩确实不是很好,但是,我非常反感老师对我的态度。初二时,我决定离开学校。我有自己的一帮朋友。晚上,我们一起住在郊区的旅馆里。旅馆很小,但是很自由,也很安全,不大有人管。我们三男一女住一间。女孩子对我很好,但是我们没有乱来。住旅馆的费用都是她付,她从家里拿了10000元钱。"

个案E,1984年生,四川人,2002年高中毕业,自己并不是辍学生。"我是今年暑假的时候到上海来见网友的。我在这里有很多朋友,都是我那个论坛的。上海人真的很好,他们比我小,有男有女,大部分都是没有毕业就不读书了。我们晚上一起住在闸北的一个旅馆里,白天一般是去上网或者逛街,瞎逛,钱都是他们出的。我们不是坏人,真的不是坏人。"

没有证据表明,在城郊旅馆群居的青少年们都会去犯罪。他们只是为

了逃避自己的家庭，单纯地寻找快乐才走在一起的。但是，这里确实存在着潜在的危险。一方面，如果从家里拿来的钱花完了，又想继续这种旅馆生活，从逻辑上讲，没有收入的辍学青少年似乎只有通过非法手段去获取必要的钱。另一方面，这些脱离了家庭、学校与社会制约的青少年，能否将自己的行为控制在社会秩序之内？城郊低级旅馆所在的社区，其发展常常滞后，居民构成复杂，素质相对低下，犯罪率较高。长期在此生活，辍学青少年势必因为周遭社区文化的影响而走上堕落的不归之路。

3. 街角生活

对于中小学生，学校生活的中途废止，其实正是其街头生涯的开始。世界范围内，辍学青少年一直是街角青少年（Street Kids）的主体。街头，是少有的免费的娱乐场所之一，在上海的大街小巷，常常能见三五成群、穿着怪异、嬉闹不止的闲散未成年人旁若无人地玩耍。闪烁的霓虹灯、穿梭如织的车水马龙、鳞次栉比的高楼大厦，恰到好处地拨动着这些厌倦了学校生活的青少年的心弦。

我们无意为这些青少年贴上粗恶的标签，但是，混迹街头的辍学青少年中确有不少"恶少"。他们无事生非，向着路人开尽恶意玩笑，偷窃"拗分"。在一定程度上，直接影响着城市社会秩序。

个案 F，1985 年生，上海人，2001 年与另两名辍学青少年一起因暴力抢劫在押看守所。F 在 1999 年退学，闲散在社会上的时候还不满 14 岁。起初，他跟在年长的"恶少"后面学样，"满师"后纠合一帮同龄"兄弟"，开始在外面自己"混"。年纪越小，做事往往越是随心所欲、不计后果。10 个月前，他在一起群殴事件中持刀捅人，被处以治安拘留 15 天。

从个案 D、F 的情况看，在街角生活中，确实存有容易犯罪的倾向。离开了熟人社会的保护与制约，这些尚不熟悉游戏规则的辍学青少年常常容易走向与现存社会秩序抵触的一面。

set关注成长

4．家庭内的抑郁寡欢

　　辍学青少年与街角青少年是两个不同的概念。不少辍学后的孩子并没有浪迹在外，而是选择留守在家。这类青少年通常包括两种：一是个人存有心理疾病者，这种疾病不但中断了其学生生活，也使他们不愿意走出家门；二是极少数因为不可抗拒的外力因素，如家庭的变故等而中断学业的孩子，他们深知生活的艰辛，诚实地留在家中，孤独度日。

四、应对都市辍学青少年现象的策略思考

　　都市辍学青少年与规范性的角色期望相背离，无可奈何也是自然而然地滑向了城市生活的边缘地带。都市辍学青少年之所以辍学，在很大程度上是他们身处的社会环境演进的结果。学校教育只是一种精英式教育，它以牺牲一部分人的受教育的权利去换取另一部分人的升学。更直接地说，并不是都市辍学青少年自己希望中断自己的学业，而是其所赖以存在的社会环境迫（诱）使他们背离社会规定，并开始其边缘化的人生历程。

　　都市青少年的辍学是社会环境的运作使然。这是我们在探寻应对都市辍学青少年现象的策略时的起点。以此观照社会对于都市辍学青少年粘贴上的种种标签，比如"恶少"、"问题青少年"、"游手好闲"等，我们深为这些身处繁华都市里的辍学孩子不平。孩子是无辜的。在坚硬的社会结构面前，个体的力量微不足道。从个体生命历程轨迹的演变看，辍学这一生活事件的发生，将会对个体今后生活机会的获得产生强烈的制约作用，也将对其整个生命历程的演变产生纵贯一生的影响。我们怎样才能够确保都市里的辍学青少年还能正常地过青少年的生活？如何才能够减低辍学这一事件以都市青少年的影响？如何才能够最有效地保护那些失去了家庭与学校保护的幼稚青少年的基本生存权利？又如何才能够将那些已经辍学的都市青少年重新融进都市生活的主流秩序之中？

186

在回答这些问题的时候，我们不敢苟同于那些主张加强法律对于辍学青少年的惩戒的观点，并坚持认为应该从产生辍学青少年现象的社会结构中去探寻应对辍学青少年现象的策略。基于这样的考虑，我们认为以下的制度建设十分紧要：

1．实现基础教育从"令人生厌"到"让人眷恋"的转变

要改变教师、学校对部分学生的歧视性态度，并使每个学生的个性发展都得到必要尊重，以"应试"为主导的精英式基础教育过程就应该得到有效逆转。基础教育，不仅应该是富有效益的，同时更应是生动的、尊重个性的愉快教育过程，而非使学生感觉单调乏味的令人生厌的教育过程。

其一，在基础教育过程中树立教育的效益观。教育体制的改革和教学内容的改革应发生根本性的变化，教育中长期存在的与社会发展特别是与地方需求不相适应的痼疾必须得到有效解决，以减少学生毕业找不到工作以及这一现象引起的学生对学样教育过程的厌倦情绪。在教育体制改革中，要打破传统的学科划分，使教育内容趋向开放、综合与针对性兼顾，知识与生活技能并重，增强其对学生的吸引力。

其二，继续深化课程结构和教学内容的改革。摆在课程改革方面的中心问题包括：在不增加课程负担的前提下，如何保证课程内容的全面性和相关性；在不损失课程传播人类优秀文化和价值观的长远目标的前提下，如何使课程对当前新的社会问题，如人口、环境、健康作出积极反应；在保证内容连贯性和重点突出的前提下，如何满足不同学习者的多样化的兴趣需要，以发展学生个性；在科学技术日益成为文化的一部分的现实环境里，如何定义核心课程，如何保证所定义的那些基本能力能够切实有效地运用于日后的生活。

其三，继续改进和完善评估与考核办法。建立促进学生全面发展的评价体系是提高基础教育质量的重要任务之一。由于长期以来实行严格的考试制度，分数已经成为衡量学生学业成绩乃至整个学校教育质量的惟一标

准。这种过分强调分数的做法早已被人批判，学生、教师全部围绕分数转，消磨了学生的学习兴趣和热情，扼杀了学生的学习主动性和创造能力，进而使一部分学生不得不离开学校。如何确立有效、合理和科学的考核评估体系，使评价成为提高教育质量、促进学生健康发展的必要手段，是基础教育改革面临的一项重要任务。20世纪80年代中期，前苏联教育学家、心理学家阿莫纳什维利提出的对学生学习进行实质性评价方法值得我们借鉴。在长期的教育实验中，阿莫纳什维利对小学低年级采取了实质性评价（无分数评价），实质性评价重在激励学生的内在学习动机，使学生增强信心，找到进一步学习和提高的目标。目前在俄罗斯大部分小学 1 — 4 年级中多采用评语方法考查学生。总之，如何使学生在教育、教学活动中获得最大成功，是建立评估和考核制度应该首先关注的问题。

2. 改良高校招生制度，推进中小学教育从工具理性主导到价值性主导的转变

教育的最基本职责是培养人，而非生产分数。评价一个学校、一个教师优秀与否的标准，应该看他是否良好地完成了这个最基本的职责。关于此，人们并没有太多的疑义。20世纪90年代以来，教育界对于应试教育与素质教育的讨论已大大拓展了人们在这方面的认识。大家已意识到围绕分数与升学率而进行的教育评估、教育实践带来的巨大的负面影响。但是，在上海，中小学教育的传统性缺陷并没有得到根本的扭转，教育制度逼迫学生离开学校的可怕景况还在延续，都市里的辍学青少年仍在产生。

就中小学教育谈中小学教育无济于事。中小学生的辍学，不仅与中小学教育有关，更受制于高等教育体制的运作实际。由于学历社会的观念根深蒂固，而高校处于目前的教育链（幼儿园—小学—中学—大学）的终端，因此，从操作的层面看，要改变中小学教育的淘汰式的精英教育的现状，我们可以将视线集中在大学招生制度的变革上。高校招生制度是高等学校联系中等学校、初等学校的链接，这个链接的结构直接影响着以促使学生进

入高等学校为目标的中小学教育的发展。由于当下的高等学校实行全国统一考试，高考"一考定终生"，中小学教育必然要围绕高考、分数进行。中小学教育中普遍存在的乏味、单调泯灭学生个性，必然导致青少年的辍学现象的产生。因此，我们坚持认为，要让中小学生愉快地留在学校里接受教育，而不是厌学、逃学、辍学，根本性的改革应该从高等学校的招生制度层面进行。

在这里，美国大学的招生制度是富有借鉴意义的。它突破了考试这根指挥棒的淫威，也使得中小学个性化、人性化的公民教育得以顺利实施。在美国，高等学校的招生也不只是看该学生中学的成绩，因为中学的成绩只反映学生在某一所学校的一个班级的名次，很难与其他学校的学生作比较。但是，美国大学录取新生也有一个共同标准的统一考试。不过，这种考试不是由政府部门而是由民间考试机构主持的，其中规模和影响最大的是学能测验（SAT）、各门学科的学业成绩测验与美国高等学校测验（ACT）。它们主要测验学生的综合学习能力，并显示学生在全国大学考生中的成绩排名。这些考试，每年举行多次，在全美国和世界各地设了数百个考试点，学生可以自由选择合适的地点和时间参加考试。在这样的制度安排下，美国的中学没有统一的课程和教材，各校水平参差不齐，评分标准高低不一，中小学校可以按照自己的办学理论进行教育实践。

3. 严格管理网吧，杜绝有关部门的寻租行为

从上海的情况看，在对网吧的引导和规范方面做得比较早，积累了一些经验。在上海经营网吧必须具备三证一照，即《上海市计算器公众信息服务业准营证》、《上海市互联网络上网服务经营代办证》、《上海市公众计算机屋计算器信息系统安全合格证》以及工商营业执照，并且详细规定了网吧向中小学生开放的政策，比如规定游戏机房、网吧在非国定节假日禁止向中小学生开放。但是，出于逐利的本能与有关执法部门的"保护"，不少网吧对此置若罔闻。

　　因此，消除网吧对广大中小学生的影响，当前，最重要的是要严格执法。要充分发挥社会监督的作用，发挥社会的力量在消解网吧与有关执法部门在合谋让青少年沉浸网吧方面的腐败行为。要加强对执法人员的考核力度，增强其工作责任感，杜绝营私舞弊。

4. 建立"中途学校"，充分保护辍学青少年的受教育权

　　返回学校或者进入主流社会秩序，不仅仅是辍学青少年的义务，也是其权利。面向辍学青少年的工作，不仅是一个"教化和控制的问题"，更是一个"福利照顾的问题"。如上文言及的学生辍学问题，其实是社会结构制约下的产物。辍学本身，实际上是对其受教育权利的生硬剥夺。因此，从辍学青少年福利的角度出发，开展面向青少年的社区服务，以引导中辍生重返校园或回归社会秩序，是政府与社会不可旁贷之责。

　　开展面向中辍生的社区服务，当务之急，在于建立一个能够热情接纳中辍生的机构。离家出走，浪迹街头，是辍学青少年通往违法犯罪过程的开始。可以考虑采取建立诸如"中途学校"之类的办法，专门接收那些不为家庭或学校接纳的中途辍学的青少年，让他们有"家"可归，而非浪迹街头。

　　应该充分利用非营利组织的社会工作者，去负责"中途学校"学生的"招生"、"教学"与"毕业分配"工作。各中小学应该加强与"中途学校"的沟通合作。规定中小学生如果未经请假而离开学校一个星期以上，学校应该将其列为辍学生，并依法通报政府教育部门。然后，由政府教育部门转告"中途学校"，由"中途学校"的专业人员负责追踪与辅导中途辍学生，保障辍学青少年的基本生存权利，并促使其尽可能返回学校。

作者单位：上海社会科学院青少年所

张秋凌　屈志勇　邹　泓

流动儿童发展状况调查
——对北京、深圳、绍兴、咸阳四城市的访谈报告

本研究在北京、深圳、绍兴和咸阳四个城市对10所学校的128位流动儿童、108位家长和36位校长及学校管理人员进行了访谈。结果表明，城市环境给这些流动儿童的发展带来了很多有利因素，但流动儿童入学难、升学难、受歧视现象普遍存在，大城市流动儿童的处境令人担忧。

一、前言

随着我国市场经济的不断发展和城市化进程的加快，大量农民涌入城市务工。国家统计局2002年资料显示，我国流动人口已经超过1.2亿人，流入城镇的占74%。有研究表明，流动人口家庭化是近年来人口流动的一个突出现象，有近1/3的流动人口带有"移民"性质，他们在城市居住的时间超过5年，并且没有返乡的意向。在这些流动人口中，儿童的数量也达到了不容忽视的规模。专家预测，"十五"期间流动人口格局不会有大的变化，规模可能会持续增大。以北京市为例，1997年外来人口普查资料表明，北京市15岁以下流动儿童人口16.2万人，占外来人口总量的7.05%。

2001年流动儿童比例上升为7.4%，而2002年11月的调查资料表明，北京市外来人口为386.6万人，其中0—14岁的儿童为31万，占流动人口的8.0%。

联合国儿基会、国家妇联、中国儿童中心以关注流动儿童的权利保护和发展需求为出发点，以为政府制定改善流动儿童的生存和发展状况等方面的政策法规提供科学依据为目的，组织了一次大规模的调查。调查对象是户口登记地为县城以下的农村或乡镇，在调查市区居住半年以上，并随带有0—18岁儿童的流动家庭。本研究根据东部、中部、西部地区分配和大中小城市规模分层抽取了9个城市，6500户流动人口家庭进行了问卷调查。9个城市分别为北京、武汉、成都、深圳、吉林、咸阳、绍兴、株洲和伊宁。为了更全面、更深入地了解流动儿童的发展状况，课题组把一些无法通过问卷调查了解的问题，设计成了访谈提纲，把访谈所得内容，作为本研究的重要事实依据。访谈的主要内容包括：(1)城市生活给流动儿童带来的有利和不利因素及其原因；(2)儿童对城市生活的满意度；(3)家长和儿童对儿童权利的知识和态度；(4)在流动人口问题上的地区性差异；(5)流动人口对政策的需求和建议。访谈共选取了四个城市，对流动儿童、家长、校长以及政府有关部门官员、街道派出所、社区居民等进行了深入访谈，获取了很多生动的、值得我们深思的信息。

二、访谈取样

本研究在北京（代表大城市）、深圳（沿海经济发达的开放地区）、绍兴（南方小城市）和咸阳（西北地区中等城市）四城市走访了10所学校，对128名学生、108名家长、36名校长以及各城市的教育局、卫生局、防疫站、派出所等部门负责人进行了团体半结构式访谈。还访谈了不满16岁的卖花童6名、小保姆1名、服务员4名。

所走访的学校包括私人办学的打工子弟学校、接收流动儿童的公立学校和公办打工子弟学校三类。访谈的家长全部是流动人口，所访谈的学生绝大多数是流动儿童。为了了解更全面的信息，还选取了部分城市儿童。

三、访谈结果

访谈发现，"流动"既给儿童的生存和发展创造了一些有利条件，也给这些儿童的发展带来了许多新的问题。与在农村相比，来到城市后有利于儿童发展的因素有：家庭收入水平的提高、教育条件和科技人文环境的改善、家长教育观念的提高等；不利于儿童良好发展的因素包括：住房拥挤、受歧视、人际关系冷漠、童工现象等。但是，总体看来流动儿童对自己的城市生活都比较满意。这是因为中国目前的城乡差异依然存在。所以，尽管与城市儿童相比，流动儿童的生活水平普遍较低，但与农村相比，无论是在生活方面还是在教育方面，都有很大程度的改善。这正是他们流动的一个重要原因。而且"流动"练就了这些儿童特有的一些优势，他们生活自理能力强，更自立，能吃苦，更体谅家长的用心。

访谈还发现，流动人口是一个内部差异很大的群体。他们在收入水平上的差别，使流动人口的特点变得非常复杂。同样一个问题往往在低收入家庭存在，到了高收入家庭就不存在了。而且就所访谈的四个城市来看，因城市规模、流动人口数量、管理政策等诸方面的不同，流动儿童所面临的机遇和困难也有地区性的差异。大城市的流动人口的生存压力要比小城市大，城市的歧视性政策也比较多。但是，大城市也有自身的优势，比如其科技人文环境往往又好于小城市。

1．流动儿童在城市受教育的有利因素

（1）城市为流动儿童提供的教育环境比农村优越。流动儿童和家长普

遍认为，城市学校的教师（包括公立学校和打工子弟学校）的教学方法更为恰当，对学生更负责，学校的管理也比较规范。有家长说："在这里就算在第二、第三课堂孩子都可以学到很多东西。在老家普通话都没普及。我的孩子二年级过来，在这边学到要讲礼貌，讲卫生，尊老爱幼。在家里这些都是不太可能的。"

从教师的情况来看，城市学校的老师都具有正规大学或中师学历。即使在打工子弟学校，老师也是外地大学或中等师范的毕业生，或者是在外地执教多年的退休教师或校长。这些教师的素质普遍比农村地区高很多。访谈中发现，一些农村学校高年级学生给低年级学生当老师，或者老师干完农活再去上课，无法保证学生的正常学习。如一些儿童说，"在农村要走很远的山路才能到学校"；"这里学习环境好，老家没有英语课和电脑课，我以前都没见过电脑"。

（2）城市的科技、信息和人文资源有利于儿童开阔视野，增长知识。很多北京的流动儿童提到，"我们周末可以去西单图书大厦看书，去电脑广场看电脑，看别人上网"。这些对于农村儿童而言，都是望尘莫及的。如有儿童和家长说，"咸阳有很多名胜古迹"；"动物园里有很多我以前没见过的动物"；"在这里有跟外国人交流的机会"；"绍兴是名人之乡"。这些无疑会给儿童提供直接的受教育的机会和良好素材。

（3）城市生活改变了家长的教育观念。访谈发现，家长到城市后受城市整体氛围和学校正规管理制度的影响，在教育观念和教育方式上都有所改变。他们更加关注孩子的学习和发展，更注重与孩子的交流和沟通，并有意识地去改变自己的教育方式。

比如在问到家长到城市后有哪些变化时，儿童回答说："父母到这里后知识增多了"；"在老家他们很少跟我说话，现在他们主动跟我说话，经常问我学校和学习情况"；"以前他们的教育方法不好，来这里四年了，他们改变了许多教育方式"；"我父母虽然很忙，但比在家乡沟通时间多了"。

一些家长的回答也很有代表性："孩子的事情尽量让他们自己做主，给孩子自由发展的空间，不能强制孩子，强制是没用的，强制是农村的老观念"；"孩子只要读，我们就一定供，读书是孩子惟一的出路"。这些都说明家长的教育观念、教育方法比在农村时有所改善。家长教育观念的改变，无疑会促进儿童更好地发展。

（4）良好的城市生活秩序为儿童提供了好的榜样。在四个城市的访谈中，问到城市哪里比老家好时，很多儿童都说："这里的人文明，自觉排队、遵守交通规则、不随便骂人、不随地扔垃圾等等。"这些文明行为都对孩子起到了耳濡目染的作用。儿童还提到城市的人口素质高、做事有秩序等等。

（5）家长将儿童带在身边，可以满足儿童对亲情的需要，有利于儿童的心理健康，也使儿童能够得到更好的监护。家长把孩子带在身边，亲子交流的机会增加了很多，满足了儿童对亲情的需要。如在让儿童回忆自己最高兴的一件事时，很多儿童都说道："最高兴的就是能够经常跟爸爸、妈妈在一起。"将儿童带在身边还有利于父母及时了解儿童的思想和行为的发展变化，可以及时阻止儿童越轨行为的发生。访谈中发现，虽然流动儿童的生活中有很多不尽如人意之处，但是他们还是很满意来到城里以后的生活。这主要是因为他们能和父母在一起，满足了孩子对亲情的需要。以往关于农村父母外出打工的儿童的研究发现，这些儿童都很想念父母，都希望和父母在一起。

2．流动儿童在城市受教育的不利因素

流动儿童入学难问题是家长反应最强烈的一点，尤其是在北京。学龄期流动儿童的入学主要有两种途径：插班到接收流动儿童的公立学校和进入打工子弟学校。访谈发现，尽管打工子弟学校的各方面条件都与公立学校有较大差距，但无论进哪一类学校的儿童都认为，他们在城市所接受的教育比所在的农村好。但在适龄儿童入学、收费状况、小学升初中和初中升高中以及参加高考的资格等方面，存在较为普遍的问题，打工子弟学校条件简陋也是一个比较突出的问题。

（1）**大城市流动儿童入学难问题普遍存在。** 在调查中，我们感受到流动儿童入学难的原因有以下这些：

其一，户籍制度带来的限制。我国义务教育法规定适龄儿童凭户籍就近入学，但流动儿童的户籍都不在他们流入的城市，全国又没有出台统一的流动儿童入学方面的政策法规，从而使这些流动儿童的义务教育无法得到保证。

其二，流动儿童的流动性大，给当地政府解决这些儿童的教育问题带来了诸多困难。以北京为例，随着市区建设和经济发展，几年内，流动人口的集居地由三环移到四环，现在又移到五环、六环，市区内的学校根本无法利用起来，如果专门为流动儿童建立校舍，由于他们的流动性大，也不现实。也正因为这种需要与现实的矛盾，北京地区涌现了大量的各种规模的打工子弟学校。

其三，流动儿童薄弱的学业基础和不良的卫生习惯，给公立学校带来各种压力。由于流动儿童的学前教育普遍较差，孩子在农村环境下也没有形成良好的卫生习惯，所以，有公立学校的校长反映："流动儿童的比例太大，会影响公立学校的教学质量，给老师的教学工作带来困难。"访谈中还发现，大多数流动儿童家长拒绝给儿童支付打防疫针的费用，比如乙肝疫苗。在公立学校上学的流动儿童不接受预防接种，给当地儿童和家长造成了心理负担，导致当地儿童择校转学的情况增多，使这些公立学校也承受了很大的压力。

其四，不合理的收费使很多流动儿童被挡在了公立学校的门外。公立学校不合理的收费主要表现在两个方面：收费标准过高，使流动儿童家长无法负担；收费标准过低，使学校失去了招收流动儿童的积极性。以北京为例，有公立学校校长说："以前教育局规定每个流动儿童每学期可以收600元学费时，学校还有积极性，因为政府按生均拨款是405元。现在规定每个学生只能收200元了，再减去本市儿童也交的80元学费，实际只剩120元了，太低了，学校当然没有积极性了。"

（2）**一些打工子弟学校硬件设施简陋。**由于流动儿童家庭可负担的学费有是有限的，所以打工子弟学校在没有政府财政的支持下，只能租用简陋的校舍，各项硬件设施也无法与当地学校相比。以北京为例，流动儿童学校基本上没有操场、实验室，体育课、实验课都没有场地上。教室的面积普遍较小，儿童的正常活动空间无法得到保证。安全、防火条件也不达标，有的学校所使用的校车都是报废的面包车，使儿童的安全无法得到保障。另外，打工子弟学校校长反映，由于没有一个统一的、切实可行的政策标准，打工子弟学校随时面临着被取缔，因此，无法作长期发展性的投资项目，只能是因陋就简，得过且过。

（3）**小学升初中和初中升高中存在困难。**由于受流动儿童的入学资格的限制，很多儿童在小学毕业之后又面临着去寻找新的接收学校的命运。再加上打工子弟学校的流动性大，流动儿童家庭职业和住所也在不断更换等多方面的影响，流动儿童初中辍学状况非常严重，这也是童工现象无法彻底消除的原因之一。

初中终于毕业的学生，又苦于没有高中可以上。即使有高中学校接收，面对一级比一级高的借读费，很多孩子和家长也只能望而却步了。在问到家长在孩子的教育方面最担心的事情是什么时，很多家长都说："我们就愁孩子初中高中没有地方继续上。"

（4）**由于高考必须回原籍，影响流动儿童的高考成绩。**由于我国现行的高考制度规定，一些艰难挤入高中的流动儿童也必须回户籍所在地参加高考。受教材的不同，高考竞争强度的差异以及学生需要对新环境重新适应等多方面的影响，这些辗转于不同省市的孩子的高考成绩往往会受到不同程度的影响。这也是访谈中家长们反映最强烈的问题之一。

3. 流动儿童的课外娱乐活动

（1）**流动儿童娱乐活动的基本状况**

绝大多数儿童放学或假期的时间安排主要是学习、运动和玩耍。由于

流动家庭收入水平的差距很大，所以他们课余活动的形式也不同。家庭经济条件好的儿童除了做作业复习功课外，会去参加一些特长班，去学电脑、上网或者去专门的体育场馆运动等。家庭经济条件一般的儿童，很少参加各种兴趣班或特长班的学习，他们的娱乐活动也主要是在家里，比如下棋、跳绳和同学一起在小区玩耍等。在经济条件比较差的家庭，儿童有时还需要帮家长做一些家务或者帮家长做一些生意，比如进货、送盒饭、加工盒饭等。很多城市儿童在假期都会跟随家长到各地旅游，虽然流动儿童没有这种机会和条件，但是他们觉得寒假回老家过年也很高兴。

（2）影响流动儿童娱乐活动的因素

影响儿童娱乐活动的关键因素是家庭的收入水平。一般学校、校外教育机构很少关注流动儿童，使流动儿童的娱乐和课外生活受到局限。

流动人口家庭多从事个体经营活动，多数流动儿童都要比城市儿童承担更多的家务，这也占去了儿童部分业余时间。如有一个孩子说到："放学后我特别想出去玩，可是家里还有活要干，如果不干爸爸会生气，但等活干完了，天也黑了，就不能到外面去玩了。"另外，由于家长忙于生计，很少有时间与儿童共同娱乐。

4．对流动儿童发展的其他不利因素

虽然从农村迁移到城市，为大多数儿童提供了更好的发展空间，但是仍然有一些因素制约流动儿童的身心健康。具体表现为：

（1）歧视现象的普遍存在

其一，儿童感受最强烈的是同伴交往中的歧视。同伴交往是儿童最敏感的话题之一，在与同伴交往中受到歧视的儿童往往记忆深刻。比如，儿童这样描述自己的遭遇："他们有时瞧不起我们，给我们白眼，不和我们玩"；"他们看我们没有他们穿的好，他们住楼房我们住平房，他们能看出来我们是外地的，所以他们不和我们玩"；"一开始他们还和我玩，但是我领他们到家里一看我们家住的房子那么破，他们出来后就不和我们玩了"。

其二，来自政策方面的歧视。在普通学校流动儿童要比当地儿童交更多的赞助费，而且还可能随时受到拒绝。从校长们的一些话里也可以反映出对流动儿童的歧视。"流动儿童参加本市运动会取得的成绩不能承认，因为年龄无法限制，而且取得名次的在升学时是要加分的"；"我们公立学校当然只能先接收本市的孩子，有空位置才可能考虑接收流动的孩子"。

　　另外，在对流动人口的登记管理中，只登记 16 岁以上的人口，对 16 岁以下的流动儿童没有任何登记管理。可见在政策的制定和实施时，就忽略了这些儿童的存在。

　　其三，社区和城市居民对流动儿童的歧视。有很多儿童提到，居委会组织活动不允许他们参加，社区中有些公共设施不允许他们使用，如运动器材、社区阅览室等。还有儿童说："这儿的人看到外地人背着很多的东西，衣服脏，问站别人都不理，我自己也遇见过"。

　　（2）童工现象

　　流动儿童中存在童工现象，但并不严重。童工大概有两类：辍学打工和课余帮工。他们从事的劳动类型差异很大，有保姆、卖花的、理发的、服务员等纯粹的辍学打工儿童，还有做生意的、出早市、做盒饭等在家帮工的儿童，绝大多数是体力劳动。前者会得到少量的报酬，后者是没有报酬的，而且，在家长的观念中后者不是做工。

　　童工问题是一个令各地政府和管理机构都很头疼的问题，可以说是屡禁不止，原因也很复杂，主要有：

　　①童工源头难以禁绝。他们大多来自贫困地区，当地经济状况较差，家庭贫困，儿童打工可以减轻家庭经济负担。比如，卖花童的老板每个月会把报酬的一部分（70—100 元）寄给儿童的家长。对于贫困家庭来说，这笔钱可以起到很大的作用。所以，很多家长愿意让别人把孩子带出来。而且，打工儿童往往因家庭贫困，子女多，无力支付学费，或者因儿童自己学业失败，而无法继续学业。

　　②雇主法律意识淡薄。由于童工工资一般很低，城市的一些劳动密集

型行业或服务性行业愿意雇佣他们。虽然一些雇主明明知道儿童不到16周岁，但依然置法规于不顾，招他们做工。

③社会监管机制不健全。很多管理机构对童工现象没有严格的管理和监督机制。甚至有些地方机构还组织一些不满16岁的儿童外出务工。

（3）部分流动儿童的社会支持减少

其一，家长忙于生计，与孩子沟通较少。虽然，来到城市后，部分家长更注意与孩子沟通，但是也有很多家长迫于生活压力，忙于生意，与孩子交流的时间更少了，使儿童的情感需求无法得到满足。比如，访谈中我们让儿童说一句最想对家长说的话，有的孩子就说："我希望爸爸妈妈能陪我聊天"；"我最高兴的事是爸爸妈妈我们一家人去公园玩，可是他们根本就没有时间"。

其二，同伴和亲人少了，儿童的社会交往需要不能得到满足。儿童普遍反映，来到城市后同龄的朋友少了，亲戚也少了。他们觉得城市里人际关系冷漠，邻居都不认识，有的社区组织活动还不让参加。由此可以看出，流动儿童的交往需要不能得到满足，这会影响其社会技能的发展。"在老家可以随便出去玩，认识的人多，亲人多，热闹"；"最高兴的事是回家过年"。

访谈中发现，流动儿童的同伴和朋友主要是流动儿童。少数流动儿童有城市的同伴和朋友，他们是在城市出生或者很小（一般是幼儿园或小学低年级）就来到城市了。由此可见，儿童的年龄越小，越容易适应城市生活。

其三，公立学校教师对流动儿童提供的支持较少。虽然，城市的老师对儿童更负责了，但普通公立学校的老师还很难把流动儿童和本地儿童平等看待。无论是北京还是绍兴，我们都听到有家长和儿童说："当地的老师看不起我们"。当然，大城市更加突出。

但是，很多打工子弟学校的学生说："我们的老师对我们特别好，下课还跟我们一起玩"，"老师下课还帮我们补课"，"老师还拍我的肩膀"。可见，一些打工子弟学校的师生关系更为密切。

四、反思与建议

1. 流动儿童正面临两难的境地，很难融入城市，也不会返回农村。流动人口经济收入与城市的差异以及城市对他们的歧视，给流动儿童心理上带来了伤害，因此他们难以完全融入到城市人群中去。流动儿童在城市生活时间长了，他们已经习惯了城市的生活方式，没有办法像农村长大的孩子一样，成为农村劳动力，他们也不愿意再回到农村去生活。比如有家长说："这些孩子在城市长大，根本就不会干农活，也不愿意到农村去生活了。如果在城市呆不下去，他们将来去哪里呢？"有儿童说："我们放假了也不想回去，老家的人都不认识了。老家的儿童不和我一起玩，说我们穿的和他们不一样，说话也不一样。"

我国正在加快城市化进程，逐步扩大城镇人口的比例。政府应该考虑流动儿童的多种去向，合理引导流动人口在城市的发展，为流动儿童提供适当的教育培训。比如降低流动儿童在城市升初中和高中的难度，或让他们在城市接受职业技术教育，使他们将来与城市儿童一样具有城市生活的基本素养和谋生技能，或者具备回乡镇创业的基础。

2. 流动儿童问题解决不好，会给整个国家的发展带来隐患。在城市成长起来的数以万计的流动儿童，绝大多数都不可能回到农村去。如果社会不为他们创造一个宽松公平的环境，童年的经历会对他们将来的发展造成诸多不利影响。这些儿童长大后很可能逃避社会，或可能"报复社会"。

流动儿童无法接受良好的教育，将来就无法在城市就业，这样一批"年轻力壮、游手好闲"的流动大军势必会给国家的经济和社会稳定带来极大的隐患。

最为不利的是因流动儿童经常目睹家长被公安、工商、税务等部门管理人员盘查，学校被强行关闭等现象，他们已经知道自己是"非法"的，他们自幼在心里就已经给自己确立了"等级"——低城市儿童一等。这不仅

使他们变得自卑，缺乏权利意识，而且会给他们幼小的心灵埋下阴影。如一个私立学校校长说："只要是戴着肩牌的人就可以查我们的学校。联防的、工商的、税务的，随便谁都可以锁我们的门。"有儿童说："查证的还打人，我们也不敢投诉，万一他们知道了，会来报复，等我长大了就不怕了。"

3．流动儿童面临的最大问题是教育问题，解决此问题必须依靠政府。政府制定和执行政策时，首先要保证孩子有学可上。孩子入学难问题是大城市的突出问题。以北京为例，有关部门为了规范对打工子弟学校的管理，曾多次对其进行强制性关闭和取缔。在校学习的数以千计的流动儿童只能停学在家，家长继续奔走再去找学校。很多家长还担心孩子读完了小学，没有中学可以继续上。但也有的城市采取了积极的措施，使每一个适龄流动儿童都能够接受正规的教育，如深圳和绍兴。政府在流动人口相对集中的地区规定几所接收流动儿童的公立学校，对收费标准也作出了严格的限定，两地的家长对孩子的受教育状况都很满意。

允许打工子弟学校存在，鼓励公助民办。在公立学校无法满足大量的流动儿童入学需要的现实情况下，可以允许民办学校的存在，鼓励公助民办学校。但要为这些学校制定一个切实可行的办学标准，标准既要能保证这些学校的生存，也要能保证学生身心的健康发展。

作者单位：北京师范大学

雷 玲

肤浅而"快乐"？

——中小学生读书状况调查

　　我们都知道，阅读对人成长的影响是巨大的，一本好书往往能改变人的一生。人的精神发育史，应该是他本人的阅读史。在今天这个高度知识化和信息化的时代，我们的中小学生们除了课堂内的读书学习，课外，他们仍在读书吗？他们都在读些什么书？他们应该读些什么书？笔者通过近5个月时间进行网上采访调查、电话调查、现场调查，从"平均每天读课外书的时间是多少？主要是读哪些类型的书？"、"读名著吗？家长、老师要规定读什么书吗？通常去看吗？不看是为什么？"、"每个月购买新书几本？主要是什么书？阅读的情况怎样？"、"平常与同学、朋友、老师交流读书心得吗？有写读书笔记的习惯吗？"、"对现在市场上学生课外读本认可吗？最喜欢读什么类型的书？"、"对学生课外读物有什么建议？"等几大方面问题进行综合。希望本次调查结果能给我们的教育工作者和关心孩子教育的每一个人以思考和行动。

一、中小学生爱读什么书？

1．小学生：

（1）卡通、童话最受小学生青睐

通过对近100名6至13岁的小学生在网上交流和电话采访调查发现，100%的小学生拥有5至50本卡通或童话书。这些书大都是由他们自主挑选的。家住丰台区的四年级小学生陈锐说，他经常到书店买或跟同学交换《卡通先锋》、《鸡皮疙瘩》等读物。在东城区小学读六年的王雯雯最爱读的是童话故事。她拥有将近200本童话故事书。大量的阅读，开阔了她的思路，她的作文不仅在全年级颇有名气，而且还在全国大赛上获过奖。

（2）科技、百科类图书也很受小学生欢迎

此类书由于语言通俗、画面生动活泼，容易激发孩子的幻想欲望，也很受小学生欢迎。像《新编小学生十万个为什么》彩绘本，《生活中的十万个为什么》、《中国少年儿童百科全书》等等，这类书籍大都运用通俗的语言和生动活泼的画面，系统地介绍自然科学中的地理奇观、动物世界、宇宙奥秘、植物园地、自然之谜以及日常生活中的科学等内容。孩子们阅读，既可以扩大知识面，又可以激发探索、求知的兴趣。

（3）学学做做动手类书籍让孩子爱不释手

调查中还发现，侧重于让孩子学着做的书受到家长和孩子的共同欢迎。记者在多家专营少儿读物的书店了解到，《跟我学折纸》、《飞机模型》、《百种小饰物制作》等书籍尤其好卖。

（4）新版古代文学读物重受小学生欢迎

由于在学校要学古诗词等，加之家长重视，插图新颖、配有通俗注解的新版古代文学读物重受小学生的欢迎，由家长督促读此类书的学生很多。江苏省扬州市小学二年级的小蕊目前已经能背300多首古诗词。

2．中学生：选择最多的是侦探破案类和科幻类书籍

中学生中，多数人首先喜欢看侦探破案类的书，其次是科幻小说，然后是探索宇宙的书和卡通书；在我们列出的14类书籍中，喜欢看哲学书的人最少，只占10%。

14类书籍调查问卷结果排序，见下表1：

排序	课外书类别	百分比(%)
1	侦探破案	52.7
2	科幻小说	45.3
3	探索宇宙	34.9
4	卡通书	34.7
5	武侠小说	28.6
6	现代与古典文学	26.0
7	古今传奇	24.2
8	科普读物	22.4
9	现代言情小说	21.7
10	人物传记	21.2
11	历史	17.1
12	旅游考古	16.2
13	战争回忆	15.9
14	哲学	10.0

中学生最爱看侦探破案类和科幻类书籍，这是与青春期青少年心理发展相吻合的。青春期预示着思维方法的新发展，德国心理学家斯普兰格称这是"第二次诞生"。随着青春期的到来，一种新的能力出现：青少年的大脑开始使用新的思维方式——逻辑思维的方式进行思维，它超越了小学儿童的字面的、图标的思维方式。青少年这时开始探究逻辑思维的、清晰的、非感情的方法，他们突然看到了因果关系，注意到思维和行为的二分法性

质。当他们感到自己可以自由思考时，他们欣喜而振奋(在回答开放式问题"你最快乐的事情是什么"，很多孩子的答案是"解难题"，就是一个最好的佐证)，急切地进行思考，探索因果关系，苦苦思索抽象的理论。侦探类、科幻类书籍给他们提供了场景和引导，他们可以尽情地在那里进行逻辑推理，探索因果关系。

北京中学生爱看的报刊排序，见下表2：

排序	报刊	百分比(%)
1	《北京青年报》	44.9
2	《精品购物指南》	35.5
3	《北京晚报》	30.7
4	《北京电视报》	28.9
5	《中国青年报》	24.1
6	《足球报》	22.9
7	《中国少年报》	17.5
8	《人民日报》	7.8
9	《南方周末》	7.4

(以上表格由北京市未委会提供)

二、中小学生课外阅读存在哪些问题?

笔者在首届中国儿童阅读教育论坛上了解到,全国教育科学"十五"规划课题"亲近母语"阅读课程构建的理论和实践研究课题组在进行课题实验前,针对江苏省扬州市中小学的课外阅读状况进行的一次2000份问卷形式的调查显示:学校图书馆藏书、家庭藏书都很不足,有较好阅读习惯的学生也不多,有67%的学校未开设课外阅读指导课,有这门课的学校也有相当一部分并未真正将这节课用起来。但与此形成对照的是,91%的小学生和87%的家长希望学校开设课外阅读指导课，希望课外阅读能够得到有效的引导。

据调查，今天的中国青少年，已很少有人能说全中国四大古典名著的书名，能对中国当代文学作品及作者说出一二的不足10%。

综合分析，目前中小学生课外阅读存在的主要问题是：

1．学校对课外阅读的指导不够；

2．受应试教育的影响，有些家长更愿意让孩子做各种各样的试卷，而很少让他们读书；

3．有些家长知道阅读的重要性，但不知道该给孩子们读什么样的书，怎样读；

4．学生自身对课外阅读市场缺乏正确的鉴别，阅读的盲目性、随意性很大。

三、中小学生课外阅读存在问题的原因分析

1．学生受外界环境和学业压力的影响：课外阅读急功近利，主要是为了放松，不大读原著和经典；而思想类书籍特别是观点新的散文、同龄人的作品易引起共鸣，比较受欢迎；人物传记、武侠小说、网络小说、卡通、休闲杂志等成为中小学生阅读的热点。

2．相当部分青少年面对学业的压力，学习、生活环境的变化，情绪上没法排解，他们需要与父母、老师、同学进行沟通，达成良好的人际关系，理解人生，学习做人，但对青少年自身需求有指导性、针对性的书不多。

3．迎合学生的课辅材料太多，各学科的习题集、作文词典之类是不少教师推荐课外阅读的主打产品，也是不少家长挑选的首选，造成很多学生没时间读自己想读的书。

4．处于青春期的学生需要朋友式的理解和师长式的帮助，需要态度亲

近、语言浅显、道理深刻的课外读物，而这类读物太少。

四、中小学生应该读什么书？

1. 家长观点：

在北京图书大厦，笔者随机采访了几个陪孩子购书的家长。一位家长有些无奈地说："我的孩子都上六年级了，还是喜欢卡通，没办法。"与卡通书相比，比较受家长好评的是童话故事书。在五彩缤纷的图书市场最容易让家长掏腰包的就是科技、百科类图书。科技、百科类图书这类书籍成为家长们的首选。让孩子打下良好的古代文学基础有助关于孩子文学修养的提高。这一点愈来愈被广大家长认同。也正因此，唐诗、宋词等少儿版书籍也成为孩子们阅读的一项内容。带着读小学二年级的女儿来选购图书的刘女士特意为女儿挑选了《一日一诗》、《一日一词》等，准备督促女儿每天念诵。而另一位望子成龙的母亲则告诉我们，她为孩子讲解四书、五经。此次，她用儿子春节得到的压岁钱，为儿子买了《红楼梦》、《三国演义》、《西游记》少儿版图书。

不少家长认为：孩子由于年龄、阅历等的限制，对自己该选择看什么样的书没有一个合理的计划，往往因为读过多消遣类的书而浪费时间，对孩子以后的发展也没有什么益处。而家长则能够替孩子考虑该读哪些书，如何来读，怎样合理安排读书时间，为孩子以后的发展打下良好的基础，因而，孩子按照家长的指导来读书是很有益的。

2. 老师观点：

谈及当今中小学生的阅读状况，许多教师深感忧虑。他们认为，学生在课外读物的选择上带有一定的盲目性和随意性，而在读书中表现出来的则是一种浮躁，甚至带有功利色彩。

　　北师大附中语文教研组组长邓虹分析说,在一个理想状态中,阅读与应试不应该是矛盾的。中考、高考对绝大部分人来说,实际上是提供了一个相对公平竞争的机会。升学考试是阶段性的人生体验,而阅读活动要伴随一个人的一生,能否处理好考试与阅读的关系也是对学生能力的一种考验。另外,她指出值得忧虑的是中小学生课外阅读中的娱乐化、消遣化倾向。她认为现在的许多图书过于注重个人感受,虽然这样在写作上可以收到以小见大的效果,但是势必会缺乏大气,忽略一些厚重、深刻的东西,有时流于孤芳自赏或无病呻吟。学生经常阅读这样的书籍或刊物,会使他们的情感得不到丰富。体现在作文写作中,则是"小资情调"的明显增多,这不能不说是一个值得关注的问题。

　　在孩子该读什么书的问题上,济南十九中学的张晓梅老师特别提醒家长说,家长在引导孩子读书上存在的误区之一就是急功近利,认为孩子看书就是为了提高作文成绩,所以给孩子买很多作文书,孩子不愿意看,也就起不到任何效果。知识是慢慢积累的,培养孩子的写作能力要从长远着手,要让孩子广泛地涉猎,读比较高层次的书,同时不要仅限于某一两个门类。读书对孩子的成长是一个循序渐进的过程,而不是一蹴而就的事情。

　　"语文能力的培养,应该通过大量的阅读实践来培养。""但是我们很多的学生不喜欢静下心来读书,这是很让人担忧的,这样学生的语文能力又怎么会提高呢?"首都师范大学附属中学特级语文教师郑晓龙认为,语文能力的提高要依靠阅读实践。

　　北京十一学校优秀语文老师刘丽云对此也很忧虑:"中学生的文学类作品阅读面相对来说还是很窄。学生往往对言情类、科幻类、武侠类作品的阅读兴趣比较浓厚,其中,言情类的作品比较受女生的偏爱,科幻、武侠类作品比较受男生偏爱。比如卫斯理小说,我们发现很多中学生一本不落地都读,在时间和精力都非常少的情况下,中学生大量地进行这种重复性的阅读是一种很大的浪费。""中学生阅读畅销书的多,读经典文学作品的比较少。四大名著以及国外的一些经典文学作品如果没有老师的推荐或

者作为任务强制性要求他们阅读，很少有学生阅读。"

一位校长说："现在很多家长都主张孩子在暑假里读点有关下学期课程方面的书，其实，这对于大多数学生来说是没有必要的。首先，没有老师的指导，自学起来比较吃力，这样一是会使学生产生较大的心理压力，二是学习效果不是很好，容易形成一知半解的情况。此外，由于学生们把大部分时间都花在看课内书籍上，影响了知识面的拓展，最终也会影响课堂知识的学习。"

3. 专家观点：

一位教育局领导说："学生在课外读什么书，怎么读书，主要应该根据他们自身的兴趣特点来看，而不应强求。兴趣是因人而异的，老师和家长要善于观察、培养、指导，强调学生的个性发展，不能一刀切，只能适当地加以引导。如果硬让中小学生阅读一些他们不感兴趣的书，他们会形成一种负担，对他们的健康成长可能造成不好的影响。一般来说，只要是健康有益，趣味性强，适合中小学生年龄特点的书籍，他们都可以选择阅读。"

教育学专家霍懋征认为，根据各个年级的不同，学生所阅读书籍的深浅与内容偏重也要有不同。而阅读那些童话故事、优美的诗歌、容纳了大量的成语与谚语的知识性图书对孩子来说永远都大有裨益。

中国阅读学研究会会长曾祥芹教授指出："对中小学生阅读而言，是经典著作还是畅销书本身并非那么重要，关键是要针对不同的学生，培养出他自己的阅读兴趣，使他对阅读产生热爱。老师在引导学生阅读时首先要强调的不是这本书在历史上或现在有多么重要，而是开启学生的心门，让他自己感受到这本书在他个人阅读经历中的重要性。与其授人以鱼，不如授人以渔。"

人民教育出版社中学语文室的温老师说，一次，我一个正读高一的侄子在看《大话水浒》时，看得"咯咯咯"地笑，特别高兴，我就问他笑什么，他一翻，指了两段就是在那儿胡扯的、瞎逗的话给我看，当时我那种悲哀感油然而生。这一类的东西现在特别吸引孩子，结果是什么，结果就是现在的很多青少年脑袋里装的尽是这些东西，他们把课外仅有的一点时间"奉献"给了这些很肤浅，但又可以让他们很"快乐"的东西，这是一个非常值得忧虑的问题。

一些教育工作者认为，家长和教师对中小学生的读书要给予适当的指导，站在一个理性、客观的角度上，既引导好孩子，又根据他们的兴趣，尊重他们的选择，让孩子们看看他们喜欢的、健康有益的图书。

五、建议：

1.加大中小学图书馆的宣传力度，利用校园网、学校电视台、宣传栏定期向学生介绍畅销书、新书，加强新书的导读力度；

2.学校定期开办讲坛，开设阅读欣赏讲座等；

3.每所学校的每个班最好开设读书心得栏目，也可经常开展一些文学方面的知识竞赛；

4.学校应定期开展设"课外阅读"日，开设"每周一书"活动，向同学推荐好书；每月公布借书班级排行榜、学生排行榜，鼓励学生多借书、多看书；

5.学校应经常开展课外阅读指导的研讨活动，探讨课外阅读的重要性及与各学科的联系，从思想上提高认识，并教给学生读书的方法。

作者单位：现代教育报

沈绮云　王铟

关于电子游戏与未成年人
教育问题的调研报告

　　人类世界正在进入信息网络化时代。信息网络化的发展水平已成为衡量国家现代化和综合国力的重要指标之一。在我国互联网从开展到现在仅七年时间，但发展速度惊人，1995年中国上网计算机不过400台，上网人数仅仅7000人。但至2002年6月30日，上网计算机总数已达1613万台，上网人数4580万人（据中国互联网信息中心发布的统计报告）。互联网已开始全面介入和改变我们的生活。

　　网络作为第四媒体改变了我们接受信息的方式。现在不论政府网站还是专业网站和个人网站，都在提供各式各样的信息，超越地域界限，实现了资源共享，将可能利用的文化资源扩大到全球范围。

　　网络也改变了人们交流和沟通的方式。E-mail提供人们之间更加快捷地相互沟通和传递信息的途径。据调查，中国70%以上的网民仍将E-mail视为上网的主要功能。而QQ则提供了上网聊天的新工具，QQ已成为年轻一代交流的新方式，在其中流行的独特语言和表达方式已成为一种新文化形态。据统计至2002年6月QQ登记总用户达一亿多，最高同时用户达249万多人。

　　互联网的发展提供了文化产业与信息产业结合的巨大前景。网络为新文化形式的发展提供了平台，它的快捷、方便、灵活、自由的特点正好可以包容各种文化的新形态，同时网络也正在改变文化市场的形态。例如，随着网络技术的发展，特别是宽带技术的逐渐成熟，电子游戏发生了巨大变化，游戏不仅被电子化，而且被网络化了。网络游戏的发展创造了文化消费的新形态，成长为一些国家和地区的支柱产业，成为当今最受欢迎的游戏。

电子游戏始于1958年，美国Brook haven国家实验室推出的世界上第一个电子游戏"pong"，能在一台机器上模拟打乒乓球，虽然非常简单，而人类还是由此开始进入了利用电子技术进行游戏的崭新阶级。在以后的数十年，以美国为首的一些欧美以及日本等国的各大游戏开发商借助电子技术、计算机技术及网络技术开发了各具特色的电子游戏产品，创造了巨额产值。如今美国、日本、韩国等国的电子游戏业产值，据说均已超过了它们本国以汽车制造业为代表的传统产业，而成为国家的支柱产业之一。据美国一市场研究机构的报告，2002年底，全球电子游戏产业将形成1000亿美元的巨大市场。根据专家预测，在今后4—5年内，电子游戏产业每年增长幅度可达25%以上，而新兴的网络游戏的增长潜力将大大超过传统游戏市场。据国外有关统计，1995年全球网上游戏的营业额为8000万美元，到2001年底世界网络游戏的产值就将超过60亿美元。网络游戏市场年增长率在100%以上。

近年来我国的电子游戏市场也在迅速发展。2001年7月以前我国只有5款多人在线角色扮演网络游戏，但一年之后即2002年7月已经有了50款这类游戏，到年底还将增加30款。据中国互联网信息中心2002年1月的统计，当时的中国网民人数为3370万人，其中玩网络游戏的人占17.1%，即576万，并以每月10万户以上的速度增加。2000年电子游戏业产值约1000万元人民币，到2002年底将接近2.5亿元人民币。据业内人士估计我国的电子游戏市场空间大约为10亿元人民币，但这也只相当于全球市场的千分之一，所以发展潜力还是很大的。

在全球电子游戏产业飞速发展的形势下，面对电子游戏产业的巨大经济效益和我国存在的巨大市场潜力，不但国外的电子游戏软件会通过各种渠道涌入，我国的电子游戏商也会自行开发、经营。可以预见，电子游戏必将在我国以更为迅猛的速度发展。电子游戏既是产业，又具有文化内涵。因此，玩电子游戏的人，尤其是青少年，在意识形态等各方面，必然会在玩游戏的过程中受到影响。

为了解北京市未成年人玩电子游戏的现状，评估电子游戏对未成年人成长的影响，为未成年人健康成长创造优良的社会文化环境，民盟北京市委员会今年选择了"电子游戏与未成年人教育问题"的课题进行调研，旨在通过广泛而深入的调查研究，在关于电子游戏发展与未成年人教育方面提出相关的建议。在调查过程中，我们采用的调查方式有：文献调查、问卷调查、访谈、座谈等。调查的内容主要有四个方面：

1. 国内外电子游戏发展的基本情况。

我们查阅了许多相关文献，并通过电话访谈、访谈和座谈，与来自台湾及内地的游戏开发商、来自新加坡及国内的游戏运营商、国内的互联网上网服务营业场所经营者、网络信息接入商等业界人士进行了广泛的接触和交流。

2. 我市中学生玩电子游戏的基本情况。

鉴于中学生在玩电子游戏方面甚于小学生，回答问卷的能力又优于小学生。因此，我们将调查的对象确定为本市的中学生。主要采用问卷调查的方式，辅以个别访谈。对本市九个区的600余名中学生进行了调查。

3. 中学生经常玩的电子游戏的名称和内容。

4. 电子游戏对未成年人的影响。

在阅读有关文献的基础上，我们就电子游戏"成瘾综合症"对有关的心理咨询专家和心理治疗专家进行了访谈，对北京市未成年人保护委员会的负责人进行了专访，向从事未成年人犯罪预防研究的专家及司法专家进行了咨询，并向市文化局等有关部门进行了咨询。同时查询了相关的法律、

法规。

在上述调查、咨询的基础上形成了这份调研报告。

一、我国未成年人所面对的游戏市场

1. 电子游戏确实很诱人，未成年人很容易上瘾

目前，电子游戏开发商们利用先进的电子技术及计算机技术，制成的电子游戏大都具有近于完善的画面和音响效果，再加上非常吸引人的故事情节，能够让人在玩游戏的过程中，看到很多在一些"进口大片"中都看不到的，或美轮美奂、或奇幻绝伦、或惊悚恐怖的场景，从中感受到从其他艺术形式或其他艺术形式中无法感受到的美妙、惊险、紧张与刺激。电子游戏的更大魅力在于它具有交互性。玩游戏的人可以通过操作，干预和改变游戏的进程或结果，从中体验到在现实社会中感受不到的自身的力量和智慧，得到在现实社会得不到的自我肯定及社会肯定，从而获得极大的心理满足。

近年来，随着计算机网络技术的飞速发展，特别是宽带技术的逐渐成熟，网络游戏异军突起，成为电子游戏的新宠。网络游戏因其具有互动性、仿真性和竞技性，玩游戏的人可以在网络的虚拟世界里与不同地域、不同肤色、不同语言、不同文化背景的玩者，于同一时刻在网上玩着同一款游戏，大家或合作或对抗或较量，获得身临其境的逼真娱乐体验，被认为是当今的最好玩的游戏。因此，人们只要一接触到这类游戏，往往就会被它的无穷魅力所吸引，更有一些人被游戏征服，整日沉溺其中，不能自拔。未成年人着迷上瘾者比其他人群更多。

2. 电子游戏种类繁多，游戏市场经营无序

就世界范围而言，当前电子游戏主要有6种游戏环境：以 GameBoy、

俄罗斯方块、电子宠物等为代表的掌上型液晶屏幕游戏机；主机型游戏；计算机单机游戏或单机版游戏；网络游戏；多人联机游戏；游戏机等。游戏的品种，就更是多得数不胜数。光是游戏的分类方法就有很多种，按照目前比较流行的分类方法来分，有第一人称射击类、射击类、即时战略类、策略类、模拟养成类、角色扮演类、多人在线角色扮演类、动作类、体育类、飞行模拟类、赛车类、格斗类、科幻类、智力类、冒险类等等。上述所有游戏形式，目前中国都有，还有各种形式的游戏服务。此外还可以购买、复制、网上下载游戏软件。总之是只要想玩就能玩到。

我国的电子游戏市场正处于初创阶段，相应的法律规定和管理制度还不健全。游戏软件大多从国外引进，并没有经过有关部门的审查，其中不乏色情、暴力的内容和以欺诈、偷盗、损人利己为荣的情节。例如，在全世界拥有数百万参与者的网络游戏《传奇》，目前在北京开始流行。据说是目前最具诱惑力，也最有毒害的游戏，是"精神海洛因"。一旦玩上了就放不下，玩了第一级，就想玩到第二级、第三级……，越玩越想玩，直至忘却现实中的一切，沉溺于游戏的虚拟世界里，欲罢不能。如同吸毒者一样，明知不可为而不能不为。《传奇》的玩得们为了实现虚幻梦想，获得荣誉、自尊，或者是仅仅为了在虚拟社会的继续生存，他们不惜出卖友谊、信誉，对同伴欺骗、讹诈，甚至施暴。完全丧失了正常人的道德观念。一位29级的《传奇》玩家这样说：玩游戏本来是在玩的过程中获取乐趣，在升级过程中开发智力，但在《传奇》中这一切全没有，有的只是尔虞我诈，弱肉强食，勾心斗角，恶意PK(指攻击伙伴)。

3. 电子游戏对未成年人成长的影响不容忽视

当前网络已成为青少年学习知识、获取信息、交流思想、开发潜能、休闲娱乐的重要平台。电子游戏可以训练人的手脑配合能力，起到开发大脑、提升智力的作用；可以激发钻研、创造的欲望和学习的兴趣；可以增强认识自我、完善自我，提高分析解决问题的能力，体验到成就感。但是网络和电子游戏也一把双刃剑，既有积极的一面，也有消极的一面。未成年人由于社会认知的不足和自我防护意识的缺乏，受到的影响也最为严重。青少年沉湎于游戏已经成为日益突出的社会难题，不仅会引发违法犯罪，在生理、心理等方面受到的伤害更不容低估，外来文化的影响也不可忽视。

网络游戏是一种基于互联网的具有文化内涵的计算机软件，它的内容情节和背景信息必然反映出制造国的道德观念和价值取向，具有制造国的文化特征。有些游戏在情节设计和情感倾向上严重歪曲事实，1996年发生的日本光荣公司中国天津分公司因发行《提督的决断》游戏软件引发广泛争议的事件就是一例。未成年人在玩游戏的过程中，很容易会在世界观、价值观和行为上受其影响。

二、北京市未成年人玩电子游戏的状况调查及分析

1．使用互联网情况

（1）上网人数占被调查人数的83%。这个数字与我们在2001年5月所作的调查结果（81.3%）相比，尽管样本不同，但数字接近，且略有提高。网龄在二年以上的占63%，三年以上的占32%。

（2）平均每周上网时间小于5小时的74.6%，6—10小时的占12.8%，10—20小时以上的占5.96%，20小时以上的占6.91%。

（3）使用互联网功能情况：有近一半的人上网聊天，42%的人玩网上游戏，42%的人查信息，38%的人发E—mail，还有一些人利用新闻组和BBS的功能。看来未成年人对网络的主要功能基本上都有涉猎，但主要的还是用于娱乐。

2．玩电子游戏的情况

（1）玩电子游戏的人数占被调查人数的88%，其中有82.2%的人喜欢

玩。玩网络游戏的人数占被调查人数的24%，高于全国网民中网络游戏用户17.1%的比例。按这个比例推算，北京市有近22万中学生在玩网络游戏。

（2）**用在玩电子游戏上的时间：**

经常玩和每天都玩电子游戏的人占玩游戏总人数的26%。

平时玩一次所用的时间：小于2小时的占74.8%，3—6小时的占23%，大于6小时的占2.7%。

玩游戏一次最长持续时间：小于5小时的占72.9%，6—10小时的占13.3%，10—20小时的占6%，21—30小时的占3.7%，大于30小时的占3.3%。昼夜连续（20小以上）玩过的学生占到7%，这是一个不小的比例。

（3）**喜欢玩的电子游戏类型和名称**

玩计算机游戏的35.8%，玩掌上型游戏机的21.7%，玩主机型游戏的11%，玩互联网游戏的14%，玩局域网游戏的10%，还有6%的人去游戏厅玩游戏。看来各种类型的电子游戏都有未成年人在玩。其中，玩网络游戏的人也不少，加起来已达到24%。

比较喜欢的电子游戏类型依次是：角色扮演类、第一人称射击类、冒险类、赛车类、智力类。可见，大多数玩游戏的未成年人，希望通过玩游戏来寻找自我，体验自己做主的感觉。此外，宣泄情绪也是他们玩电子流的目的之一。

这些未成年人喜欢的电子游戏分别来自日本（64.6%）、美国（38.3%）、中国大陆（29.8%）、中国台湾（27.7%）、韩国（21.3%）、中国香港（18.2%）等国家和地区。中国大陆的游戏所占比例较小。

经常玩的电子游戏名称排序（取前13名）：CS（反恐精英）、大富翁、极品飞车、星际争霸、俄罗斯方块、生化危机、红色警戒、魂斗罗、三角洲部队、虚拟人生、拳皇系列、三国系列、古墓丽影。

从这个排序的整体情况看：①未成年人与成年人玩的电子游戏基本相同，呈现出与成年人流行趋势相近的现象；②有近一半是目前在网吧中非常流行的网络游戏；③全部是中国大陆以外的游戏；④情节内容基本上都

带有暴力倾向。

（4）玩电子游戏的地点

占被调查人数82.5%的人在自己家里玩，另有25%的人到亲朋家里玩，由此看出，家长对孩子负有很重要的监管责任。尤其在《互联网上网服务营业场所管理条例》开始实施以后，家长在监管孩子玩电子游戏方面的任务将更重了。

目前网吧仍然是未成年人上网玩游戏的第二地点（26%）。很显然，规范网吧的管理，严格执行《互联网上网服务营业场所管理条例》，是非常迫切而重要的。

（5）14.8%的未成年人患上"网络成瘾症"

我们参照目前国际上普遍使用的由美国科学家金伯利·S·扬提出的"网络成瘾症"评测方法，对被调查者进行了测评。结果表明，未成年人患"网络成瘾症"的比例竟达14.8%，远远高出了成年人的比例。美国心理学会的调查结果显示，计算机上网人群中，网络成瘾者占6%；在台湾，网络成瘾者的发病率已达10%—15%；我国福州大学的一个抽样调查表明，大学生上网人群中，网络成瘾者占9.6%（《北京晨报》，2002年8月9日）。

三、对未成年人"网络成瘾症"情况的分析与思考

"网络成瘾症"是一种过度使用互联网行为的心理疾病，最为严重时无法摆脱时刻想上网的念头。目前在上网人群中，发病率愈来愈高，年龄介于15—45岁之间。心理医学专家对网络成瘾病人的描述是：对网络操作出现时间失控，而且随着乐趣的增强，欲罢不能，难以自拔。这些人多沉溺于网上聊天或网上互动游戏，并由此忽视了现实生活的存在，或对现实生活不再满足。初时只是精神上的依赖，渴望上网。而后可发展成为躯体上的依赖，表现为情绪低落、头昏眼花，双手颤抖，疲乏无力，食欲不振等。

1. "网络成瘾症"的危害

（1）网络成瘾症不仅能对人们的心理造成依赖，而且还能影响到人的身体健康，尤其是植物神经紊乱，体内激素水平失衡，使免疫功能降低，引发各种疾患，如心血管疾病，胃肠神经官能病，紧张性头疼，焦虑，忧郁等，甚至可能导致死亡。新华网 2002 年 4 月 22 日报道，一名沉溺于网络游戏的高三学生于 4 月 17 日在玩游戏时，因心理过度紧张、激动竟猝死在网吧。同时，由于玩游戏时全神贯注，身体始终处于一种姿态，眼睛长时间注视显示屏，会导致视力下降，眼睛疼痛、怕光、暗适应能力降低，脖子酸痛，头晕眼花等等。本次调查显示：玩电子游戏后感到眼睛痛的占 36%；脖子酸痛的占 27%；头晕的占 15%。最新科学研究发现，长期沉迷于电脑游戏，不仅会遏制儿童左前脑的正常发育，而且特别影响儿童的早、中期智力开发。日本科学家以成百上千名玩"任天堂"游戏与其他只做简单、重复性算术题的学生的脑部活动水平分别进行了检测，并把脑部扫描图进行比较。让他们惊讶的是，计算机游戏阻碍了少年儿童大脑的发育，计算机游戏只刺激了与视觉和运动有关的那部分脑的活动。相反，算术则刺激了大脑额叶左半球和右半球的活动：这部分大脑主要负责学习、记忆和情感（《教育文摘报》，2001 年 10 月 10 日）。我国医务工作者对部分 7 至 18 岁中小学生进行的脑像图检查，也得出了类似的结论。在现代社会中，大多数孩子都是独生子女，他们本来就比较缺乏与他人沟通的机会，如果再沉迷于网络游戏，就会使他们更加缺乏人际交流，产生自闭倾向，甚至会患上"电脑自闭症"。他们会因为长期玩电子游戏左前脑发育受到伤害之后，进一步影响右脑的发育，处于亚健康状态或直接导致心理障碍。

（2）目前在校生因迷恋网络游戏造成学习成绩下降，甚至旷课、逃学的现象日益普遍。我们的调查数据显示：认为容易上瘾很难控制自己的占 65%；玩起来就没有完自己控制不了的占 18.1%；总想玩游戏不想上学也不愿做作业的占 5%；认为花很多时间和精力玩游戏会使学习成绩受影响占 73.4%。据新华社 2002 年 11 月 19 日报道，从 10 月中旬到 11 月中旬，燕山大学有120名学生因累计欠学分达到或超过20分被迫退学，其中85%是因为过度上网酿成的。

（3）青少年沉湎于游戏已经成为日益突出的社会难题。心理学家指出，暴力互动游戏会引发青少年的冲动，游戏时的一些小争执有时会演变成现实中的冲突。蓝极速网吧纵火案就是几个少年犯罪者与网吧服务员发生争执后的极端反应和过度报复行为。据本次调查的数据：认为因玩游戏性情变暴躁的占27%；认为玩游戏与校园暴力相关的达29%。电子游戏无不以"攻击、战斗、竞争"为主要成分。未成年人长期玩如飙车、砍杀、爆破、枪战游戏，火爆刺激的游戏内容使他们模糊了道德认知，淡化了游戏虚拟与现实生活的差异，误认为这种通过伤害他们而达成目的方式是合理的。一旦形成了这种错误观点，他们便会为达到自己的目的而不择手段，欺诈、偷盗甚至对他人施暴的事，就不但会在网上而且会在现实生活中发生。因为玩电子游戏而引发的道德失范、行为越轨甚至违法犯罪的问题正逐渐增多。国外资料显示青年是网上犯罪的主体。据调查，北京市海淀区未成年人的犯罪率在逐年上升，1997年比1987年翻了一番，2001年比1997年又翻了一番多。社会上青少年抢劫、伤害、自杀等恶性案件和校园暴力增多。这些犯罪都与网络和电子游戏有密切关系。

2. 本市中学生成瘾者基本情况分析

（1）根据本次调查统计，中学生上网成瘾者的比例达14.8%（初中生11.8%，高中生15.97%）。按这个比例推算，北京市92.26万（2001年数字）中学生中，成瘾者将有13.65万人。

（2）玩电子游戏的时间成瘾者明显多于普通玩者

平均每次玩电子游戏大于6小时的，成瘾者占37%，普通玩者占2.7%；一次连续时间大于10小时的，成瘾者达29%，普通玩者为17%。

（3）成瘾者的家庭背景

成瘾者与父母的文化程度有关，父母亲为高中文化程度的成瘾者居多

（父亲为47%、母亲为54%），父母学历在本科以上者，成瘾率明显偏低。成瘾者与父母的职业也有关系，工人家庭的学生成瘾者比例偏高，这可能与父母了解、指导孩子使用计算机上网的认识及能力相关。

（4）家长对孩子玩游戏的了解程度

统计数字表明，近一半（49%）家长不知道自己的孩子在玩电子游戏，27%的家长对孩子玩游戏不管（不反对也不引导），19%的家长虽然知道孩子玩游戏，但不知道具体的游戏内容，14.7%的家长不知道孩子去过网吧。而有54%的中学生对家长隐瞒了自己玩游戏的真实情况。由此看来，家长真正了解自己孩子玩游戏详细情况的人数不多，而既了解情况又能给予正确引导的就更少了。

3．成瘾原因基本分析

成瘾原因比较复杂，既有成瘾者本身的内在因素，也有社会环境因素。

（1）自身因素：

学生在问卷中对促使他们玩电子游戏的原因大都作了如下选择：

舒缓学习压力，寻求快乐。

家长寄希望于孩子成才，孩子的学习压力大，为求放松，就去玩电子游戏（因为能提供给这个年龄段孩子的娱乐场所太少了）。时间一长，生物钟颠倒了，晚上睡不着，只能靠玩游戏来打发。结果是愈发依赖游戏，最终导致成瘾。

摆脱孤独，寻求伙伴。

现在的中学生基本都是独生子女。在学校，同学之间竞争比较激烈，生活中缺少伙伴之间合作；回到家，还是独自一个人，除了写作业别无他事，与父母很少沟通。上海市最近的一项调查显示：约有69%的学生感到无法与父母交流和沟通；对于成长过程中遇到的困惑、烦恼和问题，42%的学生认为难以与父母交流，27%的学生表示从不与父母交流。成瘾的未成年人通常处于青春期，需要更多关心，渴望交流。因为上网可以聊天、交流，

　　而且，玩电子游戏已经成为中学生的一种时尚，大家都在玩，日常话题也离不开游戏内容，怕自己落伍，就想方设法也去玩。对于自控能力差、玩电子游戏时又缺乏正确引导的学生来说，是很容易患成瘾症的。

寻找自我，满足成就感。

　　孩子在网络的虚拟世界里玩游戏，可以当将军，做首领，指挥一切，以自我为中心，自由驰骋，感受在现实生活中不可能实现的自我价值和成就感。

缺乏自我控制能力。

　　处于成长过渡阶段的学生，自我控制能力差。不少孩子也知道应该控制玩游戏的时间，但又控制不了。有一个孩子甚至让别的同学藏起自己的鼠标和密码，仍然无济于事。自控能力特别差的孩子，一旦喜欢上电子游戏，就很容易成瘾。

　　（2）家庭因素：

　　家长在观念、教育方法、新的科技知识等方面，跟不上孩子成长教育的需要。从我们的调查数据看，70%的家庭拥有计算机，但是有30%家庭的父母不会使用，当然也不会上网，所以在这方面难以与孩子沟通，更谈不上指导。美国著名的戴尔电脑公司总裁戴尔，每天回家后的第一件事就是打开电脑，看孩子上过什么网站，浏览了什么内容。作为保护未成年人不被网络侵害的第一道防线，家长们对计算机互联网知识的匮乏，很难觉察不良的网络信息对孩子的侵害。

　　对于家长有两种倾向不可取，一种是认为只要花钱为孩子找一个好学校就可万事大吉，对孩子的学习和课余活动很少过问，甚至不闻不问，放松自己的监护作用。另一种是把网络视为妖魔，不准孩子上网，也不让孩玩游戏，有的地方甚至家长联合起来成立"抵网委员会"，结果把孩子赶到了网吧，以至于出现本地不能上网时，就去外地上网的现象。《未成年人保护法》明确规定了家长作为孩子的监护人负有监护权、教育权、引导权的职责，但由上述情况看，家庭监护并未真正到位。

（3）社会因素：

社会文化环境

电子游戏市场目前还不够规范。未成年人不允许进入的消费性场所，如电子游艺厅、网吧等，仍然在向他们招手。网吧成为未成年人上网玩游戏的第二场所（26%）。在过去的一年多时间里，黑网吧大肆泛滥，缺乏监控。网吧中流行的游戏成为"网络成瘾症"的重要因素。

相关的法律制度还不健全

虽然在《中华人民共和国未成年人保护法》中规定了家庭、学校、社会等各方面对未成年人的保护条款，但可操作性不强，还缺乏必要的惩罚条款，执法力度弱。对法律的普及、宣传也不够。缺少针对"网络成瘾症"的心理咨询与心理治疗的专业机构，缺乏及时救助的措施，一旦孩子出现"成瘾"的问题，家长干着急，不知怎么办。

四、建议

1. 规范电子游戏市场，创建良好的社会文化环境

（1）发展我国自己的电子游戏业。把电子游戏作为一项产业，给予它在国民经济中的恰当定位，推动我国数字化娱乐业的发展。网络游戏对青少年的毒害，其罪不在网络，网吧也仅是传播场所之一，并非主犯，罪魁祸首是游戏本身，是游戏的内容和情节。因而当务之急，是大力组织开发具有我国文化特色的、主题积极、内容健康而又情节生动为青少年喜好的电子游戏产品。这是惟一能够阻止不健康的进口游戏泛滥的途径。

（2）规范对进口游戏软件的管理。建立对进口游戏软件的审查制度和流入渠道的监管制度。制定游戏产品的评审分级标准和分级管理制度。定期向社会公布不适宜未成年人玩的游戏名称。

（3）规范互联网上网营业场所、电子游艺厅的管理。净化校园周边环

境，严格执法，防止黑网吧再度泛滥。

（4）采取有力措施，控制电视、电影、网络等媒体传播劣质文化。

2．开展对未成年人"网络成瘾"的预防和救助行动

（1）通过各种媒体宣传普及未成年人心理健康知识，开设未成年人"网络成瘾"的心理咨询热线。

（2）建立"未成年人心理健康咨询与指导中心"，纳入市教委督学范围。聘请有成就的专业心理工作者担任咨询指导工作。

（3）以"学校心理指导教师"、"市未成年人心理健康咨询与指导中心"、"医院青少年心理治疗机构"三方面组成针对"网络成瘾"问题的救助网站。帮助患有不同程度网络成瘾症的未成年人尽快走出困境，回到正常的生活与学习中来。

（4）加强心理咨询和心理治疗人员的培养，提高专业水平，实行严格的专业资格认定。以尽快在数量和质量上满足社会需求。

3．加强家庭教育指导，提高家庭教育水平

（1）建立"家庭教育指导中心"，开展家庭教育指导工作。对"中心"工作人员和基层家庭教育工作人员进行定期培训，增强家庭教育工作者的业务素质和指导能力，提高家庭教育工作指导水平。

（2）努力提高家长的自身水平和道德素质、法律意识。拓展家长学校办学渠道，鼓励社会力量创办家庭教育培训指导机构，逐步建立起多元化的家长学校办学体制，使家长们能更好地依法履行监护人职责。

（3）通过各种传媒普及家庭家教知识。发挥现代媒体的优势，举办家庭教育远程教育课程，提高家庭教育水平。

4．完善未成年人保护的法律体系

（1）修改《未成年人保护法》，增加相关的惩罚条款和心理健康方面的

条款，增强可操作性。

（2）建立未成年人司法制度，成立北京市少年法院。未成年人司法制度应该是内容广泛的司法制度，既有惩罚又有教育。少年法院不仅仅以犯罪的青少年为对象，凡属于"需要监督"、"需要照顾保护"的青少年均应成为管辖对象。少年法院不仅负责"审判"，还要承担"教育"的职责。实施早期干预对未成年人不良行为的矫正至关重要。

（3）加强未成年人法学的理论建设和少年法律人才的培养。我国有近4亿未成年人，占全国人口的三分之一，北京市约有275万。未成年人的健康成长关系到国家的未来，是头等重要的大事。应该引起全社会的关注，建立起人人参与的未成年人教育社会体系。

5. 深化基础教育改革，提高学生的全面素质

（1）学校在开设网络课程的同时，要对学生进行法制教育、网德教育、责任意识教育和自我保护意识的教育。教师要关注学生的网上生活，教育学生学会选择，提高自控能力。

（2）充分发挥校园网的教育作用，引导学生把互联网作为学习知识、获取信息、培养创造力的工具。

（3）加强对中小学生的闲暇指导。引导学生逐步树立起科学的闲暇意识和闲暇态度，合理的安排自己的闲暇活动。以闲暇活动促进思想品质的提高，养成良好的个人爱好、兴趣。闲暇指导的内容和形式要多样化，学校教育可与社区、家庭结合。

6. 增加对未成年人的教育投入

扩大未成年人的课余活动空间。加速少年宫、科技馆以及社区少年活动场所等的建设。

作者单位：北京师范大学信息科学学院

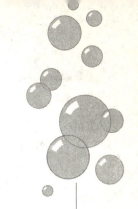

李建军

我国青少年自杀问题研究的重要性和紧迫性

自杀，是人类社会与生俱来的古老现象。人类既然无法选择生，那么对死亡的自主选择也许就成了惟一的权利。自杀无论是出于崇高的目的，还是怯懦的逃避，都是人类弱点的最集中、最凝练、最深刻，也是最简单的体现。只要人类的弱点无法根除，只要人类的生存环境和社会组织结构还存在着缺陷，自杀就始终存在。

青少年自杀率的高低，自杀者的群体特征以及因社会而异的主要自杀方式和主要自杀诱因反映出相应的社会问题和社会内涵，最终能反映出一个特有的社会文化结构。青少年自杀作为一种社会行为，必然与民族的社会文化习俗以及国民性有着密切的关联。青少年在社会化过程中，耳濡目染，不同程度地接受了先辈的思维习惯、情感模式和行为规范，经过内化沉淀于潜意识的底层，因而时时可以泛起，在欧风美雨的影响下仍可支配青少年的行为方式。中国人对自杀所特有的道德评价，源自人际冲突特别是家庭人际冲突的自杀诱因则是根植于中国人所独有的生活方式、思维方式、社会交往方式以及情感表达方式之中。当前中国的青少年自杀问题，虽然难于构成一个独立的概念，一般认为仅是社会自杀问题的一种年龄层的划分。但我们认为，中国青少年的自杀有其特点，具有自身的表征与类型，

既具普遍性，更具特殊性，就其预防与控制而言，也应具有一定的特殊性。研究我国社会转型时期青少年居高不下的自杀率和青少年自杀行为的现状、本质、发展及其规律性，探究青少年自杀发生的生理、心理和社会基础，正视青少年自杀对社会心理产生的巨大冲击波，同时应正确认识自杀率的高低并非社会进步与落后的标志，个人自杀也不是耻辱与荣誉的标志，应当用新的价值观来评价和控制青少年的自杀行为。

随着中国社会变革的不断深入，中国不可逆转的现代化进程将继续导致中国社会结构的重大变化，也将改变中国人的传统人格格局，对青少年的思维方式、情感模式和价值观念将产生前所未有的影响，青少年自杀问题亦将会出现新的特征。我们坚信，经过不懈的努力和实施行之有效的对策，青少年自杀现象（自杀率）在一定程度上是可以控制的。

一、充分认识我国青少年自杀问题的严重性

自杀是一个严重的社会问题和公共卫生问题。据世界卫生组织（WHO）统计（1999），自杀高居人类意外死亡之榜首，每年世界上有逾百万的人自杀身亡，而自杀未遂的人数则可能是自杀死亡者的10—20倍。也就是说每40秒有一人自杀死亡，每3秒有一人自杀未遂。自杀死亡者甚至超过全球武装冲突或交通事故的丧生者。在大部分提供有关自杀死亡数据的国家中，自杀是人们前10位的死因之一，而在青年人中，则是前3位死因之一。

在中国，自杀问题尤其是青少年自杀问题较为严重。据1992年11月在南京举行的中国首届"全国危机干预暨自杀预防研讨会"资料显示，中国（大陆）每年死于自杀的人数为14—16万人，平均每天400人自杀身亡。而据WHO公布的《世界卫生统计年报》，1989年中国（大陆）的自杀率为17.07/10万，则自杀死亡人数为19—21万人，占全世界自杀死亡总

人数的30%。据一般规律，实际自杀人数往往比公布的自杀数高3—5倍，由此推算，中国每年自杀死亡人数可能达60万人以上。据中国全国疾病监测系统的数据（1991—1995年），中国的自杀死亡率为19.58/10万，其中15—34岁的青少年占自杀死亡人数的40.70%。在1999年举行的"WHO／北京精神卫生高层研讨会"上，卫生部首次正式对外公布的中国自杀率为22.20/10万（1993年），中国自杀死亡的绝对数字居世界第一，即全世界大约每年42%的自杀死亡事件发生在占世界人口25%的中国人口中。据WHO 统计，中国青年自杀率较高，被认为仅次于斯里兰卡居世界第二。其中15—24岁占自杀总人数的26.64%；25—34岁为18.94%（1987—1989年）。引人注目的是，5—14岁的少年儿童自杀占自杀总人数的1.02%（1988年）。青少年自杀的比例高，严重影响了我国社区人群的寿命损失率。在卫生部提供给WHO的报告中显示：1998年，自杀是中国15—34岁年龄组青少年中第一位的死亡原因，其中15—24岁自杀死亡率为10.63/10万；25—34岁自杀死亡率为22.41/10万；35—44岁自杀死亡率为18.19/10万。在2001年10月召开的全国第三次精神卫生工作会议上，卫生部副部长殷大奎指出："全国每年约25万人死于自杀，估计自杀未遂者200万人以上。调查显示，我国17岁以下的3.7亿儿童和青少年中，约3000万人受到情绪障碍和心理行为问题困扰……2020年我国精神疾病负担将上升至疾病总负担的四分之一。"

2002年12月3日至9日，在北京心理危机研究与干预中心举办的首届国际自杀预防研讨会上，北京回龙观医院正式公布了其历时7年的调查结果：中国年平均自杀率为23.00/10万（而国际平均自杀率仅为10/10万，中国是国际平均数的2.3倍），每年因自杀死亡人数平均为28.7万；自杀已成为中国全国人口第5位、15—34岁青少年人口中第一位的死因，占相应人群死亡人数的19%。国际上将自杀率大于20/10万的国家称为"高自杀率国家"。

至于青少年自杀的未遂率，则尚缺全国性的统计数据。按自杀未遂与

既遂的通常比例（10—20∶1）推算，我国每年自杀未遂者达数百万之众。据安徽合肥市对3所中学共2466名学生进行的自杀行为调查结果显示，自杀未遂率高达总人数的3.0%。

中国青少年自杀意念阳性率也很高。据周达生用 EPQ 人格问卷调查揭示，中学生有自杀意念者占被调查总数的17.6%；大学生有自杀意念的占21.43%，其中艺术院校学生高达36.84%（1986）。

中国女性（包括青少年）自杀率之高为世界之冠。女性自杀率1987年为20.40/10万（男性为14.90/10万）；1988年为19.50/10万（男性为15.00/10万）；1989年为19.60/10万（男性为14.70/10万）。1994年，农村女性自杀率为30.54/10万（农村男性为23.67/10万）；城市女性自杀率为7.03/10万（城市男性自杀率为6.45/10万）；总计女性自杀率为25.64/10万。1998年，15—24岁农村女性自杀率为15.96/10万（男性为8.67/10万）；25—34岁农村女性自杀率为33.21/10万（男性为20.18/10万）；35—44岁农村女性自杀率为24.24/10万（男性为19.41/10万）。女性自杀率大大高于男性，这在世界上是绝无仅有的。中国青少年女性的自杀已成为突出的社会问题。随着中国全面的社会变革，青少年自杀行为呈一定上升趋势，仍将给社会带来巨大的震荡，产生重大的负面影响。

二、我国在相关领域里的研究与对策严重滞后

自杀本是人类与生俱来的古老现象，而真正把自杀作为社会现象进行研究始于19世纪法国的杜尔凯姆。杜氏认为自杀"主要取决于支配着个人行为的外在原因即外部环境及带某些共性的既成社会思潮和道德标准"。二战以后，美国学者修纳德曼正式阐述了"自杀学"（Suicidology）一词，创立了跨学科的自杀学研究方法，分三个领域构成了自杀学的主要内容：一是自杀分布学；二是自杀行为的理论考察；三是自杀的临床救治与防止及

预防教育。1960年，"国际自杀预防协会"（IASP）正式成立，总部设在奥地利维也纳。其后，每隔两年举行一次国际自杀预防学术会议。会议的专业学术刊物《危机（crisis）》于1980年在荷兰创刊。"国际死亡学和自杀协会"于1992年在墨西哥成立。在世纪之交，国际社会广泛关注自杀问题，紧锣密鼓地展开了学术研究和自杀预防活动。1998年2月，在美国迈阿密召开了主题为"自杀预防中医学干预的作用"的国际研讨会；广泛筛查抑郁症作为预防自杀行之有效的措施，如美国的国家抑郁筛查日活动；继WHO/EURO多中心15个欧洲自杀未遂研究中心（1989年）之后，发展为9国的国际研究中心进行自杀观念和自杀未遂研究（1999年）；1998年5月在荷兰阿姆斯特丹召开由14个国家参加的"发展国家自杀预防策略——联合国指南（1996年）实施现状"国际研究会。这些活动进一步界定了自杀和自杀预防的学科责任；进一步明确了抑郁症的早期发现和有效治疗是自杀预防的重要环节；强调了发展国家一级的自杀预防策略、社区服务介入是预防的重要手段；进一步加强自杀行为的医学研究（遗传研究、5羟色胺与自杀的相关研究；胆固醇水平与自杀行为的研究、死后研究、神经影像研究、"可减少自杀"的药物作用机制研究等等）。但以上活动的主角似乎仍是精神科医生、心理学家和社会工作人员。社会学家的作用相形见绌。

在亚洲地区，日本青少年自杀率居高不下，日本与中国在传统文化等方面有着密切的亲缘关系，在自杀行为的历史文化因素等方面，两国有着惊人的相似之处。日本的"自杀学"研究较为发达，有大批专门研究机构和研究人员，重要论著有《自杀学》、《自杀入门学》、《日本人自杀》、《自杀文化》、《自杀心理学》、《过劳自杀》、《图说自杀全书》等。日本学者的研究方法和成果具有重要的参考价值。日本和中国同属亚洲地区，日本在地缘上又孤悬于亚洲大陆之外与中国隔海相望，加之两国文化又有密切的亲缘关系，两国在自杀行为的特征方面具有可比性。

我国青少年自杀问题的研究与国外相比十分滞后，长期没有自杀的统计学调查以及一度对数据进行保密。改革开放后研究才开始起步。江苏省

于1983年6月23日至25日，在南京召开了首次"防止自杀问题研讨会"，这是中国历史上首次较高规格的自杀专题研讨会，标志着禁区已被打破。1987年5月，我国著名精神病学家翟书涛教授作为中国代表出席在美国旧金山举行的第十四届国际预防自杀学术会议，这是中国首次参加自杀问题的国际会议。1988年，中国首家"自杀防治中心"——"培爱自杀防治中心"在广东电视周报编辑部成立，由几位志愿者利用业余时间以信函咨询方式开展工作。1991年7月，在南京脑科医院成立了中国第一个专业的"南京危机干预中心"，负责人为翟书涛教授，其是中国自杀研究的开拓者。1992年12月，中国首届"全国危机干预暨自杀预防研讨会"在南京召开，标志着禁区已被完全打破。其后，基本上每隔二年召开一次全国性的"自杀干预研讨会"（第一届：1992年12月，南京；第二届：1994年11月，常州；第三届：1996年10月，贵阳；第四届：1998年10月，洛阳；第五届：2001年5月，长沙），对我国自杀问题的研究起到了积极的推动作用。1994年，中国心理卫生协会危机干预专业委员会正式获准成立，中国才有了正式的自杀研究学术机构。

2002年12月3日，中国第一个面向自杀群体的医疗机构——北京心理危机研究与干预中心在北京回龙观医院成立，在其举办的首次自杀防治的国际学术讨论会上，公布了《中国的自杀率：1995—1999》、《中国自杀的危险因素：一项全国性病例对照的心理解剖研究》等研究报告，其调查结果及相关数据震惊了世人。北京心理危机与干预中心执行主任，致力于研究中国人自杀问题长达18年之久的加拿大人费立鹏（Michael.R.Philps）指出：目前，中国的自杀预防工作缺乏一个全国性的计划来协调整个研究工作，政府机构对这一问题重视不够，缺乏国家的财力支持，要协调多个机构相当困难；此外，没有全国性死亡登记系统和自杀未遂检测系统，普通的全科卫生保健人员对精神障碍不识别，缺乏有效的评估心理因素的工具，亟须吸收并培养高质量的研究人员。

1987年，中国国家统计局首次在《中国社会统计资料》上公布中国自

杀率，这是中国自杀人口统计零的突破。自1989年开始，WHO统计年报开始公布由中国提供的自杀统计数据。

在亚洲东部的几个国家和地区中，新加坡有完整的自杀统计资料超过100年，日本超过60年，中国台湾、香港地区40年，而中国大陆、菲律宾、马来西亚等国没有完整的资料。

1997年，何兆雄编著的《自杀病学》一书由中国中医药出版社出版，翟书涛编著的《危机干预与自杀预防》由人民卫生出版社出版，中国才有了首部自杀研究的学术专著。两书的出版具有划时代的意义，为我们的研究打下了重要基础。众所周知，自杀行为永远不可能归结为单一的原因，但是，近年国内的相关研究更多是从精神病学、心理学、生物学、遗传学、习性学等角度入手，尚缺乏对中国社会转型时期自杀行为，尤其是青少年自杀行为社会原因的全面深入的研究。中国的自杀问题一直处于社会学者研究的视野外围，与社会分层、社区等主题相比，可检索到的对自杀现象的社会学研究方面的成果明显处于边缘状态，而精神病学、医学、心理学等学科的研究，则处于该研究领域的主流。有学者对《全国报刊目录索引》1980—1997年的统计汇总进行检索，检索到对自杀研究的文章共47篇，其中医学23篇，占48.9%；心理学16篇，占34.1%；社会学8篇，占17.0%。

早在1910年，在奥地利维也纳，由著名的精神分析学家阿德勒主持召开了关于青少年自杀问题的学术研讨会。弗洛伊德到会并作专题发言。然而迄今为止，我国尚未举行过有关青少年自杀防治的全国性学术会议。

三、"自杀，一个都太多"

尊重和爱惜生命是人类的本能和责任，对自杀行为的有效防治亦是一个国家文明进步的标志。

其实，生与死是一个轴心连着的两扇门，打开了这扇生之门，实际上也就永劫不归地迈向了已经开启的死之门。生是起点，生与死相隔的路再长，也有终点。但自杀，尤其是青少年的自杀却僭越了自然法则规定的生命历程，是人类最大的悲剧。如果说自然死亡是人生的句号，早夭或病故是一串省略号，那么，自杀，便是一个大大的惊叹号！

法国作家加缪在《西西弗斯神话》中开宗明义地说：真正的哲学问题只有一个，那就是自杀。生还是死，这是个首要问题。孔子的学生子贡曰："大哉！死乎！君子息焉，小人休焉"（《荀子·大略》）。生命的价值才是终极价值。然而，中国每年28.7万（平均数）自杀身亡者恐怕大多没有机会进行严肃的哲学思考就义无返顾地走向了自我毁灭。北京心理危机研究与干预中心在《自杀未遂研究——有详细精神科评估的研究》报告揭示：病情较重的自杀未遂者在自杀前考虑自杀的时间是：37%不超过5分钟、46%不超过10分钟、60%不超过2小时。这就意味着大多数自杀者仅在一瞬间就决定了自己的生死（该项研究选择的是中国中部地区9家综合医院急诊室，有659例样本进入分析）。

生命是极端脆弱的。对于那些徘徊在生死边缘、孑然无助的自杀者而言，生死就在于一瞬间。迈过了生死之门走向死亡，对于充满芸芸众生、人类生生不息的世界而言，遽然飞逝的个体生命不会留下什么痕迹，但对于自杀者及他们的亲人而言，失去的却是整个世界。正如自杀学家费立鹏先生所言："媒体更注意那些自杀的'大数'，比如每年的平均自杀人数，还有多少自杀未遂者等。但是，这些可能都不是最重要的"，"百分比有时并无价值。一个自杀者，对于他的家庭还有亲友，可能就是全部、就是百分之百。最重要的是关注他们！挽救他们！"

层出不穷的青少年自杀现象就是由于有人麻木不仁、无动于衷和隔岸观火，才更加重了它的悲剧意味。在对那些不幸的自杀者扼腕痛惜之余，当积极地行动起来，研究自杀、防止自杀。

自杀率的居高不下也就意味着社会组织形式本身存在着缺陷。我国作为高自杀率的世界头号人口大国，必须改变在关乎生命的"自杀学"研究上的落后状况。我国青少年是跨世纪的一代，担负着民族复兴的历史重任。研究自杀的成因，积极防患于未然，努力减轻自杀这一"社会病"的危害，使我们的青少年具有蓬勃向上的生命意识、健康的心理素质，关爱人生、珍惜生命，充分适应社会和人生的一切挑战，是社会工作者、教育工作者、医务工作者义不容辞的责任，也是全面建设小康社会的需要。

费立鹏从其长期从事的自杀研究中得出一个似乎超越了科学的正确结论："自杀，One is too many！"（"自杀，一个都太多！"）。

作者单位：贵州大学